D0357846

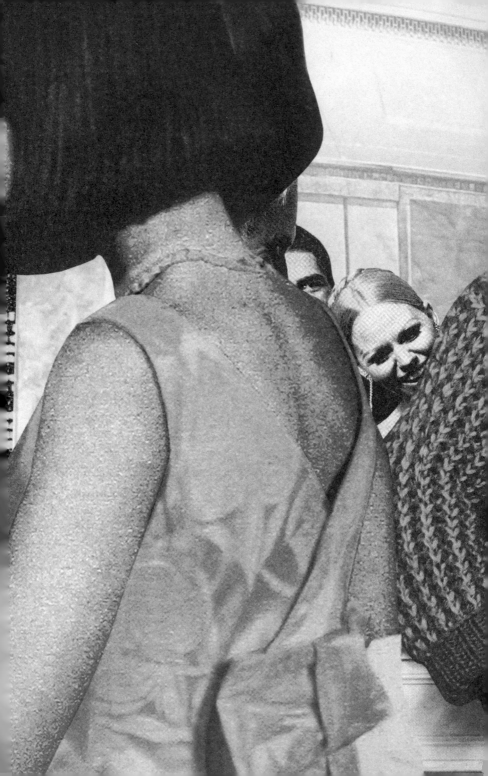

L'OURS EST
UN ÉCRIVAIN
COMME
LES AUTRES

L'OURS EST UN ÉCRIVAIN COMME LES AUTRES

William Kotzwinkle

TRADUIT DE L'ANGLAIS (ÉTATS-UNIS)
PAR NATHALIE BRU

C am
bou
rakis

À Bronson Platner, avec tous mes remerciements

The bear went over the mountain
The bear went over the mountain
The bear went over the mountain
to see what he could see…*

* *Célèbre comptine américaine pour enfants : l'ours franchit la montagne/l'ours franchit la montagne/l'ours franchit la montagne/pour voir ce qu'il pouvait voir.*

Un incendie faisait rage dans une vieille ferme. Les flammes indifférentes se nourrissaient des feuillets d'un manuscrit. Il s'agissait d'un roman, intitulé *Désir et Destinée*, dont les pages se recroquevillaient l'une après l'autre, puis s'embrasaient et partaient en fumée.

La ferme brûla vite. La charpente s'effondra en un tas de poutres incandescentes, et quand le propriétaire stupéfait découvrit la scène à son retour, ne restait plus de sa maison et de son roman qu'un cratère fumant.

La ferme avait été la tanière d'Arthur Bramhall, un professeur de littérature américaine de l'université du Maine en congé sabbatique. Un homme mal taillé pour l'enseignement, car sujet à la dépression, qui préférait la solitude parce qu'il se savait de piètre compagnie lorsque son moral était au plus bas, ce qui était presque toujours le cas. Il avait acquis la vieille bâtisse dans l'espoir de nouer des relations sexuelles avec des femmes qui elles aussi avaient choisi la campagne et se trouvaient peut-être déprimées. La plupart de ces femmes en tout cas lui semblaient déprimées, ou au moins fâchées, probablement d'avoir à vivre à la campagne. Son projet était de coucher avec elles et d'en tirer un récit qui deviendrait un best-seller. Le roman avait été écrit mais sur la seule base de son imagination, car il avait découvert que les femmes installées à la campagne portaient des salopettes informes, sentaient souvent l'essence, célébraient les solstices, et refusaient de se raser les jambes; elles étaient devenues à ses yeux des femmes à fourrure, ce qui nuisait à sa libido. Si bien que la seule chose excitante qui lui était arrivée avait été l'incendie de sa ferme.

Il était là, à présent, dans l'obscurité de la nuit hivernale, le visage éclairé par les charbons ardents de sa maison qui se désintégrait. Du brasier saillaient les silhouettes distordues de ses classeurs en métal, de sa lampe de bureau orientable et de sa machine à écrire. Il allait et venait le long du cratère, à la recherche de restes de feuilles carbonisées. De petites flammes vives dardaient leur langue vers lui, lui conseillant de garder ses distances tant qu'elles n'auraient pas achevé leur mission. Tombant à genoux au bord du cratère fumant, il pleura son manuscrit disparu.

« J'ai cru comprendre que Bramhall s'était bâti un petit chalet avec l'argent qu'il a touché de l'assurance, remarqua Bernard Wheelock, jeune et brillant maître de conférences en littérature américaine à l'université du Maine.

– En effet, il réécrit son roman », répondit Alfred Settlemire, professeur titulaire dans la même institution. Settlemire était un personnage à l'allure distinguée, doté d'un grand et beau front surmonté d'une chevelure léonine, qu'accentuait un bouc soigneusement taillé à son menton proéminent.

« La perte de ce livre dans l'incendie, c'était affreux, commenta Wheelock. Quel sale coup pour un type qui a tendance à broyer du noir.

– Affreux ? En êtes-vous sûr ? s'interrogea Settlemire. Je suis navré pour sa maison, mais pour son livre – c'était un plagiat délibéré de *Ne faites pas ça, Monsieur Drummond*. Lui-même me l'avait dit. Après avoir étudié tous les best-sellers, il en avait conclu que s'il pouvait en copier un, c'était celui-ci.

– Tâche ardue, fit Wheelock qui s'y était lui-même essayé.

– Mais est-ce donc pour cela que l'on prend un congé sabbatique ? Afin de plagier un best-seller ? Brillamment ou pas, là n'est pas la question. Est-ce donc pour cela que l'on écrit ? On se le demande. » Le professeur Settlemire était friand du « on ». Il avait publié quant à lui un essai sur l'usage des comparatifs dans l'œuvre de Robert Frost, démontrant entre autres que Frost employait la conjonction « comme » 0,54 fois par page. Voilà une recherche à la portée significative. Un sacerdoce, pourrait-on dire.

« Avez-vous déjà lu un livre de Bramhall ? » s'enquit Wheelock.

Settlemire laissa échapper un grognement de mépris.

« Avant l'incendie, il m'en avait envoyé quelques chapitres afin de recueillir mon avis, avis que l'on pouvait bien sûr difficilement lui fournir, étant donné qu'on ne savait pas par quel bout prendre la chose. Son héroïne restaure une ferme délabrée dont elle a hérité. Elle sent l'essence mais reste tout de même charmante.

– Cela semble intéressant. »

Settlemire caressa son admirable bouc. « Quand on étudie Frost, les fermes, on connaît. La ferme dans le livre de Bramhall est une chimère.

– Pauvre Bramhall.

– Jamais il ne trouvera d'éditeur. On peut en être certain. »

Dans son petit chalet, Arthur Bramhall réécrivit son livre. Il ne prit pas la peine de faire réinstaller le téléphone, et ne vit personne sinon un vieux bûcheron qui habitait la crête voisine et passait de temps à autre taper un brin de causette. En dehors de ces moments-là, Bramhall travaillait d'arrache-pied. L'incendie lui en avait beaucoup appris sur la patience, le renouveau, la force morale. Ayant abandonné l'idée de plagier un best-seller, il écrivait fiévreusement, à cœur ouvert, guidé par son inspiration – sur l'amour et le désir, le chagrin, et les forces de la nature, au pouvoir desquelles il s'était initié. Lorsqu'il mit un point final à son travail, sa nouvelle héroïne rayonnait d'un éclat intérieur, car la nature lui avait appris l'humilité. Les scènes de sexe y étaient encore nombreuses, mais elles entretenaient désormais des liens avec les humeurs immémoriales des forêts, le chant des corbeaux, le glapissement des renards et le crépitement d'un feu dans l'âtre.

« J'ai écrit la vérité », déclara Bramhall en fermant son manuscrit, qu'il tapota tendrement. Il venait d'allumer, au cœur des ténèbres destructrices de sa dépression de toujours, un lumignon de gaieté. « Demain, tu vas conquérir le monde », annonça-t-il à son manuscrit.

Il le plaça dans une mallette et l'emporta hors de la maison. « Je vais aller nous acheter du champagne », annonça-t-il à sa mallette. L'un des problèmes auxquels sont confrontés les citadins qui choisissent la campagne est qu'ils n'ont personne à qui parler hormis leur fosse septique ou, dans le cas présent, leur mallette.

S'éloignant de son chalet, il traversa le pré et déposa avec précaution le porte-documents sous un vieil épicéa. Les branches qui tombaient jusqu'au sol dissimulaient complètement le manuscrit. « S'il y a un autre incendie, tu seras en sécurité. »

Lissant l'extrémité des branches comme il le faisait tous les jours depuis quelques mois, il contempla sa cachette avec un sourire satisfait.

À quelques centaines de mètres, un ours observait Bramhall. Tout comme Bramhall, l'ours était une créature honnête et travailleuse. Il avait lui aussi sa routine, du ruisseau où il pêchait la truite et le saumon aux vergers abandonnés où il mangeait des pommes à l'automne, en passant par les flancs des montagnes où il se gorgeait de myrtilles l'été. D'un tempérament bonhomme, il avait toujours faim. Récemment, il s'était introduit par effraction dans la cuisine d'un restaurant et y avait dévoré toutes les tartes, les gâteaux, les glaces, le sirop au chocolat, et même une boîte de vermicelles multicolores. Le goût et l'odeur de ces produits le hantaient ; on aurait dit que l'air odorant du printemps les charriait avec lui, et cela le torturait. L'homme avait déposé quelque chose de précieux sous l'arbre. Peut-être était-ce une tarte.

L'ours aimait se rouler les pattes en l'air dans les prairies. Il mangeait les ordures quand il y en avait et fouillait allègrement les poubelles pour y trouver des emballages de pizzas souillés de fromage fondu, et autres mets délicats. Son estomac guidait son existence et une fois par an, aux premiers signes de l'été, il s'offrait un accouplement d'une qualité exceptionnelle. Il abordait les manières de la forêt avec sagesse et celles des hommes avec roublardise ; lorsqu'il avait forcé la fenêtre du restaurant, on lisait dans ses yeux perçants une extrême concentration, qui n'était pas sans rappeler le regard d'Arthur Bramhall devant sa machine à écrire.

Alors que Bramhall s'éloignait en voiture pour acheter du champagne, l'ours traversa le champ et se glissa sous les branches du conifère. Il s'approcha prudemment de la mallette et la renifla. Pas de trace de tarte. Mais cela valait le coup d'insister. Saisissant la poignée entre ses crocs, il s'enfonça dans le sous-bois. Quand il se sentit en sécurité, il posa l'objet par terre et lui asséna plusieurs grands coups de

patte. Les loquets sautèrent et la mallette s'ouvrit. Il renifla le manuscrit, déçu. De la nourriture pour les termites,
songea-t-il, et il faisait déjà volte-face quand une ligne de
la première page retint son attention au point qu'il se mit à
lire un peu. Alors que sa pratique de la lecture se bornait aux
étiquettes des bocaux de confitures et aux boîtes de vermicelles multicolores, quelque chose dans le manuscrit l'incita
à poursuivre. « Tiens tiens, se dit-il, pas mal du tout. » Il
y avait de nombreuses scènes d'accouplement et plusieurs
scènes de pêche, dont il trouva les détails à la fois justes et
évocateurs. « Ce livre a tout », conclut-il. Le replaçant dans
la mallette, il coinça la poignée dans sa mâchoire et s'en fut
vers la ville.

À l'heure où un ours dérobait son manuscrit, Arthur Bramhall prenait le café en compagnie d'une femme à fourrure. Ils étaient attablés dans un *diner* de la rue principale de la petite ville où ils faisaient leurs courses toutes les semaines. « J'ai terminé mon livre, lui annonça-t-il.

– Oh, sensationnel, répondit-elle.

– J'imagine que ça l'est, en effet. »

Il tâcha de ne pas se départir de son savoir-vivre alors qu'il bouillonnait secrètement de joie. Si son livre était un succès, plus jamais il n'aurait à reprendre ses cours à l'université. Plus jamais il n'aurait à remettre les pieds au département d'anglais, ni ne se laisserait tenter par une pizza graisseuse à la maison des étudiants, où ses élèves passaient leur temps le nez plongé dans des bandes dessinées ayant pour héroïnes des amazones de l'espace vêtues de papier d'aluminium.

« Je suis sûre qu'il va marcher », commenta aimablement la femme à fourrure, qui avait pourtant rayé Bramhall de sa liste de relations sérieuses. Il avait une carrure robuste et une belle chevelure brune et ondulée, de doux yeux marron et un sourire agréable, mais pour lui plaire, un homme devait sentir la sève de pin, le feu de bois et le grand air, tout comme elle. Même avec un bon entraînement, jamais Arthur Bramhall ne pourrait atteindre un niveau suffisant. Pour commencer, il repassait ses jeans.

« Je suis content que nous nous soyons croisés », dit-il. Même s'il repassait ses jeans, Bramhall était un homme bien, animé d'une affection naturelle pour ses congénères. Timide et introverti, il n'avait jamais vécu de relation durable avec une femme, et sa solitude le plongeait souvent dans une humeur de poisson rouge, le regard perdu dans le vague à la fenêtre. Il était néanmoins pour l'instant dans la phase maniaque de son cycle. « Alors, qu'est-ce que vous me racontez de beau ? demanda-t-il avec un intérêt non feint.

– Oh, je suis toujours dans mon travail de bien-être », répondit la femme à fourrure. Malgré son approche incertaine de la syntaxe, elle possédait un don indubitable pour le commerce. Pour cinquante-cinq dollars, elle offrait à ses clients ce qu'elle appelait un massage énergétique. Lui ayant versé cette somme, Bramhall avait eu la mauvaise surprise de découvrir que ces mains dont il pensait qu'elles le masseraient n'entraient en fait jamais en contact avec son corps, se bornant à balayer l'air au-dessus de lui armées d'une plume de poulet teinte en violet. La séance achevée, il fit pourtant mine de se sentir ragaillardi, car il aimait encourager les autres dans leur travail. Il écoutait à présent les dernières élucubrations de la femme à fourrure en matière de champs énergétiques, d'auras, d'eau magnétisée, tout en essayant de la trouver séduisante, malgré l'odeur d'essence. Il s'efforçait de l'imaginer sous les traits de l'héroïne de son roman, mais les propriétés sensuellement stimulantes de l'essence faisaient davantage d'effet sur le papier que devant un café au resto du coin. Elle dit : « Vous savez que la terre entre dans un cycle féminin, n'est-ce pas ?

– Ah non, je suis désolé, je l'ignorais.

– Oui, la force féminine prend tous les jours de l'ampleur. Pour le célébrer, j'organise un festival de la déesse de la lune. »

Bramhall opina. La femme à fourrure adorait les festivals. Ce qui n'était pas son cas à lui. Les soirs où il n'était que modérément déprimé, il lui suffisait de songer à la chance qu'il avait de ne pas avoir à assister à un festival de la déesse de la lune pour retrouver le moral.

La femme à fourrure prit sa main entre les siennes. « Fermez les yeux, dit-elle, et concentrez-vous sur le succès que vous offre Jupiter, la planète de la chance. »

La femme à fourrure était, elle aussi, une honnête créature, qui croyait sincèrement aider les autres avec sa plume de poulet violette.

Bramhall ferma les yeux et repensa à sa mallette, sous l'arbre. Il y pensa comme un Bushman pense à sa statuette fétiche enveloppée dans une peau de chauve-souris.

« Je vois de très bonnes choses arriver à votre livre, dit la femme à fourrure. Je vois quelqu'un le prendre. »

Bramhall sentit une vague effervescente lui parcourir l'abdomen, comme s'il avait avalé l'antiacide du bonheur. Fermant les yeux, il perçut l'immense bienveillance dans sa voix, et tout le bien qu'elle lui voulait. Elle était givrée, mais ni plus ni moins que les autres femmes à fourrure du Maine. Les hivers trop longs les conduisaient à s'adonner à d'étranges activités. Il espérait que son petit roman leur apporterait quelque réconfort. Son héros était un archéologue renégat à la chasse aux fossiles dans le Maine ; lui aussi avait fait l'apprentissage de l'humilité au contact de la nature, qu'il avait appris à respecter, comme il avait appris à respecter les femmes, qui en étaient les reines. À sa lecture, se disait Bramhall, les femmes à fourrure pourraient s'imaginer le héros chez elles, dans leur ferme délabrée, venu farfouiller dans leurs fossiles avec respect.

Les ampoules nues qui pendaient au plafond du restaurant se reflétaient dans le cristal de quartz que la femme à

fourrure portait en pendentif et qui semblait aussi sa solitude. Il la soupçonnait de se sentir aussi seule que lui. Il
s'imagina l'invitant chez lui, lui faisant couler un bain chaud
et laissant traîner ostensiblement rasoir et mousse à raser
sur le bord de la baignoire. « Vous aimerez peut-être mon
livre », glissa-t-il timidement.

Elle confirma d'un signe de tête. « J'ai la très forte sensation qu'en ce moment même, un ange gardien veille sur lui. »

L'ours attendit aux abords de la petite ville jusqu'à la tombée de la nuit. Le bourg se trouvant au fin fond du Maine, il n'y avait qu'un seul magasin de vêtements, mais l'ours n'était pas regardant. Forçant une fenêtre à l'arrière, il s'introduisit dans la boutique. D'habitude, ce type d'effraction conduisait à une orgie de sucreries, mais en rôdant dans l'obscurité des allées, il s'efforça de chasser la nourriture de son esprit. Soudain nez à nez avec un mannequin, il eut un mouvement de recul prudent ; son flair eut cependant tôt fait de lui confirmer que la silhouette d'apparence humaine était en réalité en bois. Il s'en approcha et étudia dans le détail ses vêtements, avant de se mettre en quête des mêmes articles à travers le magasin, jetant son dévolu sur le genre de costume qu'affectionnaient les bûcherons pour les enterrements. Il parvint sans trop de difficultés à passer une chemise, qu'il eut en revanche du mal à boutonner. Il réussit à glisser quelques boutons dans leurs petits trous puis décida d'en rester là. Il lui fallut plusieurs essais avant de parvenir à enfiler le pantalon. Qu'il avait mis à l'envers, n'ayant pas tout à fait saisi la nature du vêtement. « Pas mal du tout », conclut-il en admirant son reflet aux contours imprécis dans le miroir du fond de la boutique. Il enfila la veste et retourna vers le mannequin comparer le résultat. Il lut un reproche dans ses yeux peints. « Bon sang, la cravate ! » s'exclama l'ours. Il opta pour un modèle orné de danseuses tahitiennes. Il avait un goût déplorable, mais ça n'était qu'un ours. Étudiant le nœud au cou du mannequin, il fit le sien. « C'est joli », dit-il, même si le nœud sortait de l'ordinaire. Il compléta sa tenue avec une casquette de baseball et des chaussures, se dirigea vers la caisse, qu'il vida avant de disparaître par où il était venu. De retour sur le trottoir, il secoua les pattes avant pour ajuster le tomber de ses manches et se redressa sur ses pattes arrière. « Incroyable de voir à quel point un costume vous change un ours », se dit-il.

Il avançait lentement, d'un pas maladroit, chaussures délacées. La poignée de la mallette coincée entre ses crocs attirait l'attention de certains passants. Personne ne disait rien mais l'ours remarquait leurs sourires supérieurs. Pourquoi ? se demanda-t-il. Apercevant son reflet dans une vitrine, il s'arrêta court. « Quelque chose cloche », songea-t-il en inspectant son image. La casquette de baseball est bien droite, rien à signaler au niveau du costume. Il croisa le reflet de ses petits yeux luisants. La mallette entre mes crocs !

Penaud, il la prit à la patte. Mes vieilles habitudes vont avoir la vie dure, se dit-il tout en reprenant sa route.

Plus tard, assis au fond de la salle du *diner* de Main Street, il ouvrit la mallette et relut la page de titre du manuscrit.

DÉSIR ET DESTINÉE
Par
Arthur Bramhall

Un bon titre, se dit l'ours, mais je n'ai pas une tête à m'appeler Arthur Bramhall. Non. Ce nom réclame qu'on le change. Il faut quelque chose de plus percutant. Je vais trouver.

Il avait sur la table devant lui : du café, des tranches de pain de mie grillé, deux petites portions de confiture et des dosettes de lait. Il parcourut les emballages d'un air songeur. Corn Flakes.

Parfait pour un nom de famille, on ne peut pas faire mieux que Flakes.

De nouveau, ses yeux parcoururent les étiquettes.

Donut Flakes.

Très distingué.

À moins que ça sonne trop étranger ?

De la patte, il masqua une partie des lettres.

Don.

Trop hispanique. Mais je brûle, je le sens. Voyons, en changeant un tout petit peu…

Du bout de sa griffe luisante, il masqua le o du mot et décida de le remplacer par un a.

Voilà. Voilà un nom qui va parler aux gens.

Il y avait un stylo dans la mallette, ainsi que quelques feuilles vierges. Avec une grande concentration, il rédigea laborieusement une nouvelle page de titre :

DÉSIR ET DESTINÉE
Par
Dan Flakes

Arthur Bramhall rentra chez lui ce soir-là et traversa le champ muni d'une lampe torche pour aller récupérer son manuscrit sous la ramure. D'abord, il crut s'être trompé d'épicéa. Il courut de l'un à l'autre, écartant violemment les branches, braquant la lampe vers le sol.

« Non ! hurla-t-il. Non, non ! »

Il leva les yeux vers la lune, froide et sans pitié, qui se levait au-dessus de l'arbre, la lune des voleurs et des tournants décisifs de l'existence. Tombant à genoux, il frappa le sol de ses poings. Puis il se releva et traversa le champ en criant : « Il a disparu ! Il a disparu ! » Brandissant son poing vers les arbres, il brailla : « Pourquoi ? Pourquoi me faire ça à moi ? » Quand il eut repris ses esprits, il alla chercher de l'aide auprès de Vinal Pinette, le vieux bûcheron qui habitait non loin. Vinal Pinette vint inspecter le pied de l'arbre.

« Un ours.

– Quoi ?

– C'est un ours qui l'a pris.

– Un ours a emporté ma mallette ? »

Le vieux bûcheron désigna de vagues empreintes sur le sol. « Regardez ces traces, là.

– Eh bien, suivons-le !

– Un ours, ça avance vite quand ça veut. Possible qu'il soit déjà dans le comté voisin à c'te heure. »

Arthur Bramhall s'affala contre le tronc. Il avait déjà dépensé le peu d'énergie qu'il lui restait. Des années de dépression et d'incertitude l'avaient vidé, et voilà qu'un ours avait définitivement raison de lui. « Ma vie est finie.

– Il y avait des choses de valeur dans la valise ?

– Mon roman. » Bramhall regarda fixement Vinal Pinette. Il avait beau apprécier le vieil homme, il savait que Pinette était incapable de saisir la signification de ce qui avait été perdu.

« On peut essayer d'lui courir après, fit Pinette, mais j'crois pas qu'on aura des résultats. Comme qu'y disent : si l'ours te voit, tu verras pas l'ours.

– Oui », répondit Bramhall d'une voix crispée. Il ne voulait pas déranger son voisin plus longtemps. Vacillant sur ses jambes, il traversa le champ, son cerveau préparant ce cocktail foudroyant qu'il connaissait si bien, celui par lequel il allait bientôt se sentir telle une ancre rouillée au fond de l'océan.

« C'est un livre extraordinaire, conclut Chum Boykins, agent littéraire chez Boykins Literary Agency, mais je ne vous apprends rien, bien sûr. »

L'ours opina, et Chum Boykins sourit en tapotant du bout des doigts la couverture du manuscrit. « C'est sa fraîcheur qui me plaît par-dessus tout. En même temps, il renvoie à quelque chose de familier et d'obsédant, que l'on n'a jamais apprécié à sa juste valeur. »

L'ours opina derechef, modestement. Il ne portait plus son pantalon à l'envers et se sentait de plus en plus sûr de lui. De l'autre côté des fenêtres du bureau, la grande ruche de l'humanité bourdonnait ; il avait du mal à pénétrer le sens de cette frénésie, mais se consolait à grand renfort de barres chocolatées, dont il détenait un petit stock en ce moment même au fond de sa poche.

« J'ai une idée de l'éditeur à qui le proposer, continua Boykins. Elliot Gadson, chez Cavendish Press, vous connaissez ? Je crois que c'est notre homme. Il a le bras long, il est dans la bonne tranche d'âge, et c'est le genre de texte qu'il adore. Je vais l'appeler et lancer la machine. »

Boykins appuya sur le bouton de son interphone. « Margaret, appelez-moi Elliot Gadson, s'il vous plaît. » Il se tourna de nouveau vers l'ours. « Elliot sait que je ne l'appelle que lorsque j'ai quelque chose de spécial. Vous voulez un café ?

– Sucre, grogna l'ours, prononçant avec soin le mot le plus important de son maigre vocabulaire.

– Margaret, apportez-nous un café, voulez-vous, avec beaucoup de sucre. Merci. » Boykins sourit à l'ours. « Personne ne vous a jamais dit à quel point vous ressemblez à Hemingway ?

– Qui ?

– Qui, en effet ! Il se peut fort bien que vous soyez celui qui va le reléguer dans l'oubli. »

« Tarte, dit l'ours au garçon venu prendre la commande dans le restaurant français où Boykins l'avait emmené.

– Rien d'autre ? demanda Boykins.

– Gâteau, glace.

– C'est agréable de voir quelqu'un qui n'est pas obsédé par son poids.

– Hiver, répondit l'ours en se tapotant la bedaine.

– Oui, en effet, l'hiver a été rude. » Boykins avait les yeux sombres, un regard intense. Ses gestes étaient précis. Il se pencha en avant et posa son menton entre son pouce et son index. « Quelqu'un vous représente sur la côte ouest ? Un agent d'Hollywood ? Parce que les chances sont grandes pour que votre livre devienne un film. Je vois déjà ce que pourrait donner ce grand feu de joie de célébration du solstice sur grand écran. »

Boykins décala le vase sur la table de quelques centimètres vers la droite. Oui, songea-t-il, c'est mieux comme ça. Tout au long de son enfance, il avait souffert d'un nombre incalculable de tocs ; au beau milieu de la nuit, ses parents le trouvaient debout dans sa chambre, droit comme un i, prisonnier d'une spirale de troubles compulsifs.

« En fait, tout le livre se lit comme un film, mais vous le savez forcément. Un exemple brillant de travail hybride. » Il lissa plusieurs fois le bord de la nappe. Enfant, Boykins n'avait pas le temps de faire du sport, pas le temps de draguer des filles, le temps de rien sinon de lisser son oreiller des centaines de fois d'affilée, puis de se tenir à cloche-pied dans la chambre, bras en l'air des heures durant, suppliant la puissance invisible qui le gouvernait. « Je collabore depuis peu avec une jeune femme fantastique chez Creative Management. Je suis sûr que vous allez bien vous entendre. »

L'ours voulait se montrer prudent quant à ses fréquentations. « Elle aime le gâteau ?

– Le gâteau ?

– Oui. »

Boykins se mit à rire.

« Je suis sûr qu'elle aime ça, oui. Quant à savoir si elle en mange beaucoup, je ne saurais dire. » Boykins écrasa un morceau de céleri entre ses mâchoires puissantes et le mâcha trente-sept fois. Un jour où il s'était figé, droit comme un i, dans le dortoir de son université en claquant des doigts trente-sept fois, il s'était demandé comment il pourrait s'intégrer au monde normal avec une telle infirmité. « Laissez-moi vous dire une chose, Zou Zou Sharr est l'une des femmes les plus intelligentes d'Hollywood. Une belle femme, aussi, soit dit en passant. Elle connaît les réalisateurs importants, elle connaît les stars, et elle est dure en affaires. Et juste pour que vous sachiez à quoi vous en tenir, sourit Boykins, moi aussi. » Les négociations brutales n'étaient rien pour un homme qui avait passé son enfance et les premières années de l'âge adulte à se tenir à cloche-pied. Personne ne pouvait le faire flancher. Néanmoins, les éditeurs l'appréciaient. Lorsqu'ils signaient un auteur représenté par Boykins, ils savaient que Boykins en personne s'impliquerait dans le texte, le choix de la couverture, rédigerait les slogans publicitaires, trouverait des astuces pour booster la notoriété du titre, motiverait les représentants, appellerait les critiques, courtiserait les médias et s'attirerait les faveurs des libraires. Sa folie silencieuse qui le poussait à vouloir tout contrôler avait un effet positif sur les ventes. « Je n'aime pas le mot "tendance", Dan, mais il est évident que votre livre touche un nerf de l'époque contemporaine. »

L'ours renifla, se délectant des senteurs entremêlées de parfums et d'eaux de Cologne qui lui donnaient la sensation de se trouver dans un champ de fleurs. Il avala une gorgée de vin. Il n'avait fait l'expérience de l'alcool qu'une fois auparavant, une bouteille de Porto qu'il avait vidée lors de son saccage de la cuisine de ce restaurant de campagne dans le Maine ; les tartes qu'il avait aussi ingérées en grand nombre en avaient cependant adouci les effets. Aujourd'hui, l'effet était plus évident et sa sensibilité aux parfums qui flottaient dans l'air s'en trouvait amplifiée. Son nez, qui guidait ses instincts depuis des années, le menait maintenant sans délibération préalable, sans qu'il prenne la peine de soupeser les enjeux. Se laissant glisser sur le sol du restaurant, il se roula par terre, pattes en l'air comme le fait un ours lorsqu'il se trouve dans un champ de fleurs qui l'emplit de joie.

Boykins se raidit. Son client se donnait en spectacle. Cela étant, se laisser tomber de sa chaise pour aller se tortiller sur le sol avec extase au beau milieu d'un repas était la preuve d'une grande liberté, d'une aptitude remarquable à s'affranchir des conventions. Boykins, droit comme un i, aussi bien physiquement que mentalement, vit en Dan Flakes l'image de ce qu'il n'avait jamais été, un enfant joyeux folâtrant dans le rêve de l'existence. Boykins observait avec fascination.

Le chef de salle en revanche n'était pas fasciné. Il fonça sur lui, scandalisé par ce manquement à l'étiquette dans son élégant domaine.

L'ours se tortillait d'avant en arrière, bras et jambes en l'air comme il est acceptable de le faire chez les ours, pour donner de l'ampleur à son mouvement et se gratter de fond en comble et en profondeur. Il plissait les yeux d'extase. Le visage du serveur était flou, mais sa moustache et sa voix geignarde évoquaient une fouine.

« Monsieur, s'il vous plaît, pas pendant le déjeuner ! »

Les ours n'aiment pas voir leurs bons moments interrompus par des fouines impertinentes. Si bien qu'il leva brusquement une patte. Le serveur, qui avait passé sa vie à se couler dans des portes tambour, esquiva le coup, qui frôla l'extrémité de sa moustache.

Boykins se laissa choir sur un genou à côté de son client, en s'assurant d'abord que ledit genou atterrisse précisément au centre de l'un des rectangles dessinés sur la moquette. « Dan, je crois que vous avez trop bu. »

L'ours se figea, brusquement conscient de tous les regards posés sur lui. J'ai une drôle de sensation tout d'un coup, se dit-il. J'ai fait une gaffe ?

D'un mouvement, il se retourna sur le ventre et se redressa avant de se rasseoir avec toute la dignité qu'il put rassembler, laquelle était considérable, après une vie à régner sans partage sur la forêt.

Le chef de salle disposait d'une autorité du même ordre sur les lieux dont il avait la charge, et il était tout aussi doué pour retrouver sa dignité, soutenu par Boykins qui lui glissa un billet de vingt dollars entre les doigts.

Boykins s'empara de la bouteille de vin. « J'ai vu trop d'auteurs ficher leur vie en l'air à cause de ce truc, Dan. Et vous n'en avez pas besoin. Vous avez déjà tout du véritable auteur. »

La voix de Boykins se mêla au brouhaha des autres voix humaines dans la salle, pareilles au bourdonnement des abeilles. « Abeilles, miel », fit l'ours, dont le coude glissait vers l'avant sur la table.

Il est bourré jusqu'à la couenne, songea Boykins.

« Miel vie, dit l'ours, luttant pour maintenir la conversation, mais il sentait les sourires supérieurs et les regards braqués sur lui. Ils exprimaient leurs pensées sans effort, tandis que les siennes étaient laborieuses. Son agent le dévisageait avec inquiétude, sans avoir la moindre idée de ce qu'il essayait de dire au sujet du miel. Lui-même d'ailleurs ne savait pas. Je m'embrouille, se dit-il. Un éclair de panique le traversa, et il se mit à jeter des regards tout autour de lui.

« Eh bien, fit Boykins, s'efforçant de revenir à la routine de leurs affaires, que diriez-vous d'une petite campagne de communication ? »

La question se désintégra, sans que l'ours parvînt à en recoller les morceaux. De sa longue langue, il se pourléchait nerveusement le museau. Une femme qui venait de rejoindre un groupe de cadres de la Tempo Oil à une table voisine avait remarqué l'ours et ne le quittait plus des yeux, laissant les voix ternes de ses collègues masculins s'élever autour d'elle. Eh bien, se dit-elle alors que l'ours se léchait de nouveau le nez de sa langue rouge et veloutée, ça, c'est un homme, un vrai.

« Les commerciaux vont insister pour qu'on organise une tournée, dit Boykins, si on parvient à obtenir le genre de somme que je compte demander. »

L'ours avait perdu le fil auquel il était parvenu à se cramponner du Maine à Manhattan. Le brouhaha du restaurant le renvoyait à son état animal et c'était insupportable. Il se couvrit les oreilles de ses pattes.

« Je comprends, Dan, vous ne voulez pas en entendre parler pour l'instant. Vous venez d'écrire un roman et il est précieux pour vous. Mais de nos jours, l'auteur est un produit tout autant que le livre. »

Le torrent étincelant des paroles humaines contournait les obstacles et glissait sans interruption, tandis que lui haletait, prisonnier de sa stupidité animale.

Puis soudain, son museau frémit, le bulbe olfactif à sa racine mille fois plus sensible que celui d'un humain. Il se redressa et tourna la tête afin d'isoler l'odeur naturelle qu'il avait décelée au cœur du voile synthétique des parfums. Il était là, humide, frais. « Saumon.

– Oui, ils le préparent en brochette accompagné de tomates, de champignons et de poivrons verts.

– Cru, dit l'ours, dans un sursaut d'autorité primitive.

– Cru ?

– Femelle cruc. Beaucoup d'œufs. Dans mes dents. » L'ours tapota ses incisives.

Mon Dieu, songea Boykins, c'est bel et bien un autre Hemingway.

Arthur Bramhall fixait d'un œil vide la page blanche sur sa machine à écrire. Rien ne lui venait : pas un mot, pas une idée, pas la moindre inspiration. Cette fois, les forces de la nature avaient eu raison de lui. Il posa le front sur la barre d'espace. « J'aurais dû me servir d'un ordinateur. Tout aurait tenu sur une disquette. Mais j'ai eu peur de toutes les coupures de courant dans la cambrousse. Je me suis dit que si une machine à écrire suffisait à Hemingway, elle me suffirait à moi aussi. Voilà à quelle tragédie ma vanité m'a conduit. »

Il releva la tête. Devant lui, sur le bureau, se trouvait une tasse ornée du logo de l'université du Maine : un ours noir. Il la fourra dans un tiroir. Puis il tourna la tête vers la fenêtre et regarda en direction de l'arbre sous lequel il avait laissé sa mallette. Les yeux plissés, il scruta le sous-bois à l'arrière-plan, espérant apercevoir, qui déambulait pesamment, un ours noir de chair et de sang muni d'un porte-documents, mais il ne vit que Vinal Pinette en train de remonter l'allée. À l'arrivée du vieux bûcheron, Bramhall se leva. « Pourquoi donc l'a-t-il emportée, Vinal ? demanda-t-il. Qu'est-ce qu'un ours pourrait bien faire d'une mallette ?

— Les ours sont des créatures bizarres, répondit Vinal Pinette. J'en ai un qui m'a volé une chemise sur le fil à linge une fois. Il l'a complètement déchiquetée avant de l'abandonner. Y avait quelque chose qui lui plaisait pas dans le modèle, j'imagine, et ça l'a mis en rogne.

— Je me sens à moitié mort, avoua Bramhall, espérant que,

par miracle, Vinal aurait quelques sages paroles à lui transmettre, tirées de ses longues années de vie à la campagne. Il y avait dans *Désir et Destinée* un personnage qui ressemblait à Pinette, un vieux philosophe du fin fond de nulle part qui apparaissait lors de moments clés de ce genre et retournait la situation grâce à une sagesse naturelle acquise à la dure.

« Je connais ce sentiment, commenta Pinette. Je me sentais comme ça chaque année au printemps quand l'avion de la société forestière nous aspergeait de DDT. Ça me mettait complètement schlass. Les gens de la boîte prétendaient qu'y avait pas mieux au monde que ce produit, et je les crois, c'est clair, mais visiblement à moi ça me réussissait pas. » Puis, considérant Bramhall, dont les épaules s'affaissaient, il ajouta : « Moi, ce que je dis, c'est que tant qu'on a pas le nez plein de piquants de porc-épic, tout va bien. »

Bramhall se cacha le visage dans ses mains. « Comment vais-je pouvoir retourner à l'université du Maine et affronter mes collègues ?

– Ça paye bien, ça, la fac, non ? » Comme la plupart des gens de la campagne, Vinal Pinette affichait un intérêt certain pour les salaires que l'on gagnait dans les contrées exotiques.

« Je ne veux pas leur argent. Je veux la liberté.

– Arf McArdle causait comme vous lui aussi, de liberté. Il avait une femme, onze mioches et une belle-mère aussi dure que le bout d'une chaussure de sécurité. Un jour, la belle-mère l'envoie acheter du savon et jamais plus personne l'a revu. Y a quelque chose dans cette commande de savon qui a poussé Arf à aller voir du pays. »

Bramhall tourna de nouveau les yeux vers la fenêtre, vers les énormes nuages cotonneux qui glissaient lentement sur le ciel. « Je trouvais mon livre très bon. Mais peut-être étais-je dans le faux. Peut-être n'était-il digne que d'un ours.

– Les ours sont pas très regardants, ça c'est sûr. » Une fois dispensé cet avis plein de sagesse campagnarde, Vinal Pinette fit tourner sa casquette entre ses doigts, et le regard de Bramhall alla de nouveau se perdre vers la fenêtre. Les nuages ressemblaient à des ours dans une troupe de danseurs de claquettes, en haut-de-forme et queue-de-pie.

Scrutant ces masses exubérantes, il sentit monter en lui le désir fou qui l'avait porté tout au long de ces mois – celui d'un destin littéraire qui le libérerait de ses corvées. Cela lui tordit les tripes et, peut-être parce qu'il avait depuis toujours l'habitude d'être déprimé, il lâcha prise – lâcha prise sur ce désir, sur cette destinée qu'il s'était imaginée, il laissa *Désir et Destinée* lui glisser entre les doigts comme la ficelle d'un cerf-volant, le laissa s'envoler. Il le voyait presque, une cordelette dorée battant dans les airs, hors de portée. Il s'effondra dans son fauteuil et la cordelette dorée s'en alla, disparut parmi les nuages. Et dans sa ruine, il se sentit étonnamment détendu.

L'ours pénétra dans le bâtiment de Port Authority non loin de Times Square, à Manhattan. Il retournait dans le Maine par le prochain car Greyhound. L'accès de panique dont il avait souffert au restaurant n'était qu'un début; s'il essayait de rester dans le monde des humains, le bourdonnement permanent finirait par avoir raison de lui : il craquerait, serait démasqué et finirait dans un zoo. Il portait sa mallette vide, pour avoir davantage l'air d'un être humain.

« Laissez-moi vous aider monsieur, lui proposa un criminel en tenue de jogging, à laquelle était épinglé un badge en plastique annonçant « Porteur de Bagages ».

« Non, répondit l'ours en serrant plus fort la mallette sous son bras.

– Quelqu'un pourrait vous la voler, insista le faux porteur, mais l'ours poursuivit son chemin, longeant les queues de traîne-malheur attendant des cars qui les emmèneraient vers d'autres endroits où aller traîner leur malheur. L'ours ne savait pas que ces voyageurs étaient encore en plus piteux état que lui. Il ne savait pas qu'ils auraient donné n'importe quoi pour avoir un agent. Il ne savait pas que tout le monde aux États-Unis voulait un agent. Il ne savait pas qu'il jetait aux orties l'opportunité dont rêvent tous les vrais Américains : être célèbre. Il ne le savait pas parce qu'il était un ours.

Trois joyeux skinheads fauchés avisèrent la silhouette de l'ours, corpulente et bon enfant, qui avançait vers eux et décidèrent qu'il ferait une proie facile. L'encerclant, ils l'interpellèrent comme une vieille connaissance. « Hé, Jack, tu vas où comme ça avec cette mallette ? »

Leur chef, coiffé d'un casque nazi, s'était rebaptisé Heimlich en l'honneur du chef des SS, confondant le nom d'un des gestes de base du secourisme avec le dénommé Heinrich Himmler.

« Je ne m'appelle pas Jack, répondit l'ours.

– Donne-moi cette mallette, s'énerva Heimlich. C'est un ordre ! *Achtung !* »

L'ours contempla le long couloir du bâtiment, le regard vaguement distant. Il craignait d'attirer l'attention sur lui, mais ses inquiétudes étaient sans fondement car tout le monde était trop occupé à regarder ailleurs.

« Donne-la, répéta Heimlich en désignant la mallette.

– Pourquoi ? demanda l'ours, se pensant en butte à un problème de communication.

– Nous sommes les *Obermensch*. Nous prenons ce que nous voulons. »

Heimlich aimait parsemer ses paroles de termes allemands. Un de ces jours, il s'inscrirait à un cours intitulé « La langue de la rue, putain ! » et épaterait la galerie avec sa maîtrise de l'allemand. « Tu vas me donner ton portefeuille et cette mallette, tout de suite.

– Non », insista l'ours récalcitrant.

Les skinheads l'empoignèrent alors par les bras, tandis qu'Heimlich s'emparait de l'objet. Sentant qu'on lui arrachait son seul lien avec l'humanité, l'ours frappa Heimlich d'un revers qui lui disloqua la mâchoire et lui arracha un beau morceau de nez. Puis, il retourna Heimlich tête en bas, lui empoigna les chevilles et le fit tournoyer dans les airs. La tête casquée d'Heimlich se transforma en une vague d'acier venant heurter le visage de chacun des autres skinheads avec un *bong-bong-bong* retentissant. Son crâne cognant violemment contre l'intérieur du casque, Heimlich subit une sévère commotion. L'écoute de son cher *Deutschland über alles* serait désormais définitivement perturbée par une bonne dose d'acouphènes.

Les autres skinheads avaient levé les bras, essayant de se protéger de la masse de métal tournoyant. L'impact les faisait pivoter sur eux-mêmes, brisant côtes et coudes, et une grosse arme automatique alla valdinguer sur le sol de la gare routière. Une vieille dame s'en saisit.

Alors qu'Heimlich essayait désespérément de remettre son nez en place, l'ours jetait des regards angoissés autour de lui, craignant de voir la foule se ruer sur lui pour le punir de son acte bestial. Il entreprit de s'éloigner d'un bon pas, mais le danger étant passé, la foule applaudissait, criait « Bien joué ! » et « Excellent ! »

L'arme automatique au fond de son sac à provisions, la vieille dame monta quant à elle dans un car pour aller rendre une petite visite à son gendre dans le New Jersey qui l'exaspérait tant.

Arthur Bramhall suivit Vinal Pinette dans l'entrée d'une petite ferme. Des bûches étaient empilées avec soin dans la cour, et il y avait un seau d'eau fraîche à côté de la porte. « Ce qu'il vous faut, remarqua Pinette, c'est sortir plus. Fred va vous remonter le moral. » Il frappa à la porte. « Fred, t'es là ?

– Entrez ! » lança une voix à l'intérieur.

Pinette et Bramhall s'exécutèrent. Un costaud en pantalon et chemise de travail était assis à côté du fourneau. « Art, dit Pinette, je vous présente Fred Severance. Fred, c'est Art Bramhall, de la fac. Je me suis dit qu'à nous deux, on pourrait lui remonter le moral. »

Bramhall voyait que son hôte était déprimé, il le sentait, le flairait presque.

« Elle m'a quitté, Vinal. » Severance secoua tristement la tête, puis se rappela bientôt ses devoirs de maître de maison. « Vous voulez du thé, les gars ? »

Sur le fourneau trônaient casseroles et poêles à frire cabossées et noircies par les ans. Le visage de Severance se reflétait dans le chrome de l'appareil, sa tête étirée sur la surface métallique comme si une courgette lui poussait dans le cerveau. Des harnais usés pendaient au mur, à côté de vieilles raquettes de montagnard. La seule note contemporaine du décor était un cadre contenant la photographie couleur d'une jeune femme.

« C'est elle, dit Severance, en remarquant le regard de Bramhall. Sa voix était basse, solennelle. La Fédération Internationale de Catch débarque en ville pour son spectacle annuel, et hop, elle se barre.

– Cleola est partie avec un catcheur ? s'enquit Pinette.

– Ouaip. Et c'est de ma faute.

– Va pas dire un truc pareil », répondit Pinette.

Le regard de Severance se reporta sur la photo de sa douce. Une photo de studio, du genre de celle à laquelle tout le monde se soumet le jour de la remise des diplômes à la fin du lycée. « J'aurais pas dû la laisser y aller, Vinal. Pas au catch. Passque maintenant, elle s'est fait la malle avec un nain tatoué.

– Sa famille a toujours aimé voyager, reconnut Pinette avant de changer délicatement de sujet. Montre donc à Art ce machin sous le fourneau. »

Severance en sortit un morceau de bois grossièrement sculpté, dont le cœur était à peu près de la taille et de la forme d'une paire de boules de bowling. « C'est des castors qu'ont fait ça, avant de le faire rouler sur des kilomètres. »

Bramhall contempla l'incroyable sculpture ; sa polyvalence mécanique était évidente. Elle avait la présence d'un totem ; il ne parvenait pas à la quitter des yeux, comme s'ils s'étaient déjà vus quelque part – ces dernières nuits, il avait eu des rêves terriblement étranges et colorés, peuplés de toutes sortes d'animaux réels et imaginaires.

Les castors, songea-t-il, ils ont façonné ça de leurs dents. Il sentait néanmoins qu'il y avait dans cet objet beaucoup plus que les simples outils avec lesquels les petits sculpteurs l'avaient créé. Quelque chose en émanait, comme le souvenir d'une profonde rumination au clair de lune, à l'heure où la forêt est immobile et les hommes endormis. C'était dans ces moments-là que les castors se mettaient à l'ouvrage, et Bramhall, en proie à une étrange sensation de flottement, se sentit aller vers eux, se sentit s'accroupir à leurs côtés sur la colline boisée au-dessus de leur mare, la colline sur le flanc de laquelle ils feraient rouler leur butin. Leurs yeux brillaient dans sa direction, lui indiquant la possibilité d'un pacte, s'il le désirait.

Il eut un sursaut effrayé et se sentit revenir à la réalité. Son corps, dans le fauteuil, fut pris d'un mouvement convulsif, comme s'il venait de rebondir après un long balancement élastique à travers la forêt.

« Y a pas grand monde qui sait que c'est les castors qui ont inventé la roue, remarqua Pinette à l'attention de Bramhall. Et c'est exactement le genre d'histoire (il se frappa le genou pour souligner son propos) qu'y vous faut raconter quand vous écrirez votre nouveau livre. »

L'ours poussait son caddie à travers le supermarché. Les gratte-ciels de Manhattan l'avaient stupéfait, et voilà qu'à présent les quantités infinies de miel que l'homme avait à sa disposition portaient un sacré coup à sa fierté. L'intelligence, l'inventivité, le temps et le courage que réclamait la collecte d'autant de miel constituaient la preuve ultime que l'homme se trouvait au sommet de la création.

Ébloui par un arc-en-ciel de couleurs, il s'approcha pour regarder de plus près les bocaux de verre éclatant. Est-ce possible ? s'interrogea-t-il. Fébrilement, il sélectionna un assortiment de confitures et de gelées de fruits. Quand je pense au nombre d'heures qu'il me faudrait pour ramasser pareille quantité de myrtilles… De surcroît sans la concurrence des corneilles, sans le moindre renard à faire fuir. Il resta sourd à la faible voix intérieure qui lui suggérait que cette surabondance avait un prix supérieur à celui qui était indiqué sur l'étiquette du couvercle. Quand il arriva à la caisse, il avait chargé dans son caddie tous les bocaux de confitures du magasin. Au sommet de la pile trônaient paquets de cookies, gâteaux, tartes et beignets. Les exploits de l'humanité lui inspiraient un respect infini.

Les allées du supermarché étaient étroites et encombrées de denrées. Dans la longue file d'attente aux caisses, les clients bouillaient d'impatience. L'ours, par contre, n'en avait cure, car il aurait fallu des mois pour collecter en forêt ce qu'il avait réussi à collecter ici en une heure seulement. Il prit place dans la file, derrière une femelle visiblement âgée. Elle est vieille, se dit-il, elle est donc sage. Je me comporterai exactement comme elle. C'est une opportunité en or.

« Putain de saleté d'endroit », marmonna la vieille femelle.

Acquiesçant du menton, l'ours prit mentalement note.

La vieille femme pointa un doigt noueux vers la fille derrière la caisse. « Elle dort à moitié. Elle s'en fiche. On pourrait attendre ici toute la journée qu'elle en aurait rien à foutre, la petite garce. » La vieille poussa violemment son caddie contre l'extrémité de la caisse, secouant le présentoir à magazines qui émit un bruit de ferraille. « Allez, on active ! »

La caissière adressa à la vieille femme un bref regard méprisant et continua à passer les produits avec la même torpeur éthérée. L'ours trouvait la scène fascinante, la façon dont elle attrapait un produit, le faisait glisser devant elle, déclenchant un petit *ding*, avant de le pousser plus loin, à portée de main d'une autre femme chargée de le mettre en sac. Leurs mouvements à toutes les deux étaient si fluides, leur attitude si paisible, qu'elles lui rappelaient un oiseau des rivages particulièrement gracieux dont il appréciait les facéties à la saison de la pêche au saumon. L'évocation de cet oiseau le renvoya soudain au souvenir de son territoire. Qui régnait sur lui maintenant ? Quelles intrusions ses coins de pêche favoris allaient-ils subir ? Quel autre ours, narines à l'affût, était à cet instant même en train de pénétrer sur ces prairies qu'il avait faites siennes ? La jalousie le transperça à l'image de l'avancée sans contrainte de ce rival dont il pouvait sentir la présence à des centaines de kilomètres de distance, un rival solitaire à la lisière de cette prairie-là, un rival qui reniflait, sniff sniff sniff. Avant, un gros vilain pépère contrôlait cette parcelle, se disait le rival. Mais il n'est plus là. Mort, sans doute. Tout ça est donc à moi.

« On s'active, fillette ! » grommela la vieille femme en heurtant de nouveau la caisse de son caddie.

L'ours manœuvra le sien de façon à pouvoir le cogner contre la caisse lui aussi, comme un véritable être humain, et ce faisant, il fit taire les voix qui l'assaillaient.

La vieille femme se tourna vers lui avec un regard conspirateur. « On devrait ficher le feu à cet endroit, au moins ils se bougeraient le cul. Elles ont passé un seul satané produit en une minute et demie. » La vieille dame désigna une montre agrafée à son manteau, assortie d'une carte portant son nom et son adresse. « Croyez pas que je les ai pas chronométrées. »

L'ours continuait de heurter la caisse avec son chariot. Je suis un modèle de comportement, se disait-il.

La caissière annonça le total à la vieille femme. « Vingt-deux dollars et cinquante-deux cents, madame.

– Dans ton cul, ouais ! », répliqua la vieille femme. Elle régla, récupéra ses sacs, et quitta le magasin en marmonnant dans sa barbe.

L'ours vida son chariot sur le tapis roulant. Quand on lui eut tendu tous les sacs contenant ses achats, il lança : « Dans ton cul ! » et se dirigea vers la porte. Il en apprenait tous les jours davantage.

« Ce qu'il vous faut, conseilla Pinette, c'est une histoire qui touchera le cœur des gens. » Ils grimpèrent à bord du pick-up de Pinette, qui s'engagea dans la pénombre du crépuscule sur le chemin de terre reliant les habitations du hameau reculé. « Je n'aime pas ça, qu'un ours vole une valise, continua Pinette. Ou un enfant.

– Un enfant ?

– Mavis Puffer, un jour, elle était en train de bâcher son jardin contre le gel, quand elle lève la tête et voit une silhouette à côté de la clôture, qui pouvait être que son mari qui rentrait. Il faisait noir et Mavis a toujours été bigleuse. Alors elle tend son bébé par-dessus la clôture en disant, « Rentre-le à la maison, il fait froid ». Sauf que c'était pas son mari, c'était un ours. » Pinette ôta sa casquette et se gratta la tête. L'histoire s'arrêtait visiblement là.

« Et l'enfant, que lui est-il arrivé ?

– L'ours l'a mangé, sans doute. »

Pendant quelques kilomètres, personne ne dit mot, Bramhall tourna de nouveau le regard vers la forêt. Face au scintillement d'une mare à travers les arbres, au lustre du clair de lune sur le versant de la colline, il sentit un désir s'emparer de lui, le désir de se trouver là-bas, de voir les castors pousser leur roue, mais plus important encore, il eut envie qu'ils le regardent, qu'ils lui fassent signe de leurs yeux étincelants.

« Je crois que votre histoire, elle est là, chez Armand Le-Blond, affirma Pinette en s'engageant dans l'allée qui menait à la maison. La porte de la ferme s'ouvrit sur une femme. « La belle-mère d'Armand, Ada Sleeper », expliqua Pinette d'une voix qui en disait long, tandis qu'ils descendaient tous les deux du pick-up. Bramhall prit soin d'éviter une clôture qui émettait un bourdonnement électrique.

« Comment va la vie, Ada ? s'enquit Pinette.

– On fait aller, Vinal. » Quand Ada Sleeper se tut, un étrange son émana de sa gorge, semblable au caquètement d'une poule. Puis sa voix reprit son timbre normal. « Armand est au pré sud. Il va pas tarder.

– Et Janetta ?

– À l'étable, dit Ada, avec de nouveau ce caquètement venu du fond de sa gorge. Janetta ! »

Une jeune femme sortit de l'étable. Derrière elle, Bramhall aperçut des box éclairés et les silhouettes des vaches.

« On a de la compagnie, Janetta », caqueta Ada.

Janetta LeBlond traversa la cour, adressant aux deux hommes un sourire hésitant. On fit les présentations et Pinette entama une conversation, ponctuée de plusieurs hochements de tête entendus à l'attention de Bramhall, sans que ce dernier en comprenne le sens. Puis, apercevant Armand LeBlond qui traversait le pré, Pinette et Bramhall partirent à sa rencontre.

« Comment que tu vas, mon gars ? demanda LeBlond avec cet accent chantant aux intonations françaises typique du Maine.

– J'amène ce gars pour te voir, Armand. C'est un écrivain qui cherche une histoire à raconter. »

Sortant une blague à tabac et du papier, LeBlond se roula une cigarette ; le bout irrégulier s'enflamma en crépitant. Il jeta un regard en direction de Bramhall. « Vous avez parlé à la belle-mère, vous avez entendu qu'elle caquette comme un poulet ?

– J'ai remarqué, en effet, répondit Bramhall.

– Eh ben, Janetta aussi, elle caquetait comme un poulet avant. C'est de famille. » LeBlond tira sur sa cigarette artisanale d'un air pensif. « Un truc sacrément bizarre. Et pis un soir, Janetta qu'avait un coup dans l'aile s'est effondrée cont' ma clôture. » Il désigna la clôture du doigt, dont le bourdonnement sembla soudain légèrement s'amplifier, pareil à une série de notes de musique, comme si elle était fière du rôle qu'elle avait joué.

« Janetta a dû passer trop de temps accrochée au machin, expliqua Pinette, parce que ça lui a fait disparaître le caquètement aussi sec.

– Alors la vieille, elle a voulu se jeter cont' la clôture elle aussi, pour se débarrasser du caquètement pareil. Mais j'y ai dit, "Personne est fort comme vous avec les poulets, belle-mère." » Au moment où LeBlond prononçait ces mots, Bramhall remarqua que plusieurs poules suivaient Ada avec dévotion, gloussant autour de ses chevilles. LeBlond se tourna vers Bramhall. « Je te donne une douzaine d'œufs et tu m'en diras des nouvelles. Je parie que t'en as jamais mangé de meilleurs. »

Les trois hommes se turent, tandis que les dernières lueurs du jour se perdaient au-dessus des champs. Plus tard, dans le pick-up, un bol plein d'œufs posé sur le siège entre Bramhall et lui, Pinette dit : « Une sacrée histoire, Art, vraie de vraie en plus, et je crois qu'elle a tous les ingrédients qu'y faut. »

Bramhall prit l'un des œufs et le tint délicatement dans sa paume. Puis il posa sa coquille fraîche contre son front légèrement enfiévré. L'effet était apaisant.

« Un porc-épic », remarqua Pinette tout en ralentissant, désignant d'un hochement de tête l'animal qui traversait

nonchalamment dans la lueur des phares. Ses yeux luisaient.
Bramhall sauta du pick-up encore en marche. Il suivit le porc-
épic jusqu'au bas-côté, lequel hérissa ses piquants, sur la dé-
fensive. L'animal disparut dans le feuillage en se dandinant, et
Bramhall l'écouta s'éloigner lentement vers les ténèbres de ses
propres soucis.

« Marrants ces porcs-épics, des sacrés zigues, hein ? », fit
Pinette en le rejoignant sur la chaussée.

Bramhall humait l'odeur de l'animal, une odeur qui avait
quelque chose d'humain, comme un type transpirant à pro-
fusion dans son maillot de corps douteux.

« Qu'est-ce qu'y a, Art ? Vous sentez quelque chose ?

– Vous ne sentez pas ?

– Je vais pas dire que oui. »

Le porc-épic s'était enfoncé suffisamment dans le sous-
bois pour que ses mouvements deviennent inaudibles,
mais son fumet laissait une trace vivace dans l'air nocturne.
Bramhall tourna la tête, soudain conscient qu'il percevait en fait l'odeur d'une nuit riche de senteurs de toutes
sortes. Mais dès l'instant où il essaya d'analyser la sensation,
quelque chose se referma brutalement, comme un tiroir, une
porte, une fenêtre dont la guillotine serait tombée. Ce claquement dissipa le nuage parfumé sur lequel il voyageait et
l'hypersensibilité provisoire de son odorat disparut.

Elliot Gadson lisait les dernières épreuves d'une autobiographie écrite par Barton Balfour III, descendant d'une grande famille de la haute société, accusé de s'être débarrassé de sa femme en la servant à dîner accompagnée d'une sauce madère, puis acquitté. Question style, la prose de Balfour laissait grandement à désirer, mais *le cœur* était là et c'était l'essentiel.

« Monsieur Dan Flakes est ici pour vous, Monsieur Gadson. » Une jeune assistante d'édition se tenait dans l'encadrement de la porte, l'ours à ses côtés.

– Ah, Dan, entrez, entrez donc! Je suis ravi de faire votre connaissance. » Gadson contourna son bureau la main tendue. « J'ai adoré votre livre. Je l'ai trouvé d'un réalisme confondant. J'avais l'impression de connaître les personnages depuis toujours. »

L'ours reniflait le bureau : café, eau de Cologne, papier, colle. La réplique en carton grandeur nature de Barton Balfour III armé d'une fourchette et d'un couteau lui plut, elle démontrait une juste considération pour la nourriture.

« Cela fait des lustres que je n'avais pas lu une œuvre aussi fascinante », continua Gadson, tâtant le terrain avec précaution, car Flakes avait l'air d'un coursier qui aurait sniffé des bombes aérosol. « Vous vous intéressez à nos autres titres ? Comme vous pouvez le constater, notre catalogue est varié. Une ou deux biographies de stars, le dernier ouvrage du Docteur Minceur de Bel Air… »

Gadson avait du mal à éprouver de la sympathie pour son nouvel auteur, car Flakes restait sur la réserve. Mon Dieu, j'espère qu'il n'est pas homophobe, songea-t-il, lui qui avait accroché au mur de son bureau un poster de Cary Grant dans *L'Impossible Monsieur Bébé*, représentant la scène où il s'exclame en nuisette : « Je viens subitement de virer ma cuti ! »

L'ours n'était pas homophobe, car en matière de sexualité, les ours sont tolérants. Lorsqu'ils ne trouvent pas de femelle, il arrive que les jeunes ours mâles s'envoient en l'air les uns avec les autres, sans que personne n'en fasse toute une histoire.

« J'aimerais vous présenter Bettina Quint, notre directrice de la communication, dit Gadson en composant le numéro d'un autre bureau. Bettina, Dan Flakes est dans mon bureau. »

L'ours s'était tourné vers la fenêtre surplombant la ville en effervescence. « À moi », dit-il, marquant son territoire. Bien sûr, la chose ne serait réelle qu'une fois ses excréments déposés tout autour du périmètre. Mais chaque chose en son temps. Entendant un bruit à la porte, il fit volte-face et eut la sensation qu'un colibri désorienté venait de faire son entrée.

Bettina Quint était minuscule et se mouvait avec une vélocité impressionnante. Changeant soudain de trajectoire, en apercevant Dan Flakes, elle heurta une pile de livres qui s'écroula. « Oh merde » dit-elle en commençant à les ramasser.

« Je vous en prie, laissez, lui dit Gadson sans se départir de son calme.

— C'est la deuxième fois cet après-midi que je me cogne dans quelque chose. La première était bien plus pittoresque. »

Bettina essaya d'ajuster les mèches blondes indisciplinées de son chignon. Une écharpe vert émeraude ceignait sa taille de cinquante-cinq centimètres ; le battement vif et incessant de ses ailes brûlait les calories à un feu soutenu. Se ruant vers son nouvel auteur, elle lui tendit la main. « Votre livre va faire un carton. »

Bettina s'exprimait à la manière d'un colibri, à coups de pépiements aigus et surexcités. L'ours la renifla discrètement, s'imprégnant des arômes de son parfum, de son maquillage, de son déodorant, de sa crème pour les mains et pour le visage et des légers résidus du savon avec lequel elle s'était douchée. Sa ressemblance avec un colibri lui plaisait, car leur mode de fonctionnement ressemblait à celui des abeilles.

Bettina, quant à elle, s'était déjà fait son opinion sur le jeune écrivain fraîchement débarqué de la chaîne d'assemblage des Muses. À la lecture de trois paragraphes d'un synopsis du roman de Dan, elle en avait conclu qu'il était la merveille de l'année – un auteur capable d'émouvoir une femme aux larmes, tant elle se reconnaîtrait dans le texte. Elle regrettait de ne pas avoir eu le temps de lire le livre lui-même – il avait l'air amusant – mais c'était un luxe qu'elle ne pouvait pas se permettre pour l'instant. Les journalistes dont elle allait chercher les faveurs n'auraient pas le temps de le lire non plus, ils travailleraient à partir de son communiqué de presse. Quelque chose d'aussi fade que le livre lui-même n'avait finalement guère d'utilité pour personne.

« Je suis comme *The Shadow**, Dan, je brouille l'esprit des hommes. Avec le gros budget qu'on m'a alloué pour *Désir et Destinée*, je vais vous imposer dans la conscience nationale. » Bettina, quand elle parlait, ne tenait pas en place, elle

* *Le plus célèbre héros de pulps des années 1930 et 1940.*

s'asseyait, se relevait, s'asseyait de nouveau, cette fois sur une grenouille en papier mâché rapportée de Java que Gadson avait posée sur le coin de son bureau. « Je ne parle pas de quelques secondes de visibilité ici ou là, je parle de mégasaturation. Oh, Elliot, je suis désolée, c'était précieux comme souvenir ?

— Ne vous en faites pas, ma chérie.

— Pour saturer le marché, il va falloir bouger, organiser une tournée et pas une petite, Dan. Il faut créer une sensation d'intimité avec le public. » Bettina alla jusqu'à la fenêtre et revint, puis elle s'assit sur le canapé de Gadson, comme propulsée par ses idées à mesure qu'elles apparaissaient. Ses mains s'agitaient sans cesse et, en la regardant, l'ours éprouvait une sensation de vertige, ses narines en mouvement. Elle dégage une odeur de sincérité, se dit-il.

« On fera la comparaison avec Hemingway, j'espère que vous n'y voyez pas d'inconvénient. Féru de sport, aventurier, plus grand que nature, l'homme d'action capable aussi de parler d'amour. Vous avez une présence physique fantastique, rien qu'en vous côtoyant je le sens, pas toi Elliot ? Une sorte de vitalité brute ? Pardonnez-moi, Dan, je suis obligée de traiter mes auteurs comme des objets. Vous avez du charisme et je veux capitaliser là-dessus. On insistera sur votre amour des grands espaces mais j'aimerais y ajouter une petite perspective écolo, le côté sacré de la nature, le respect que vous lui vouez. Si vous avez déjà chassé des espèces menacées, évitez de trop en parler – en fait, mieux vaut ne pas en parler du tout. Personnellement, ça m'est égal si vous avez tué de jolies petites bêtes, mais cela pourrait en heurter certains.

— Je tue quand j'ai besoin.

— Certainement, parfait, tuez quand vous en avez besoin. »

Bettina fit une brusque volte-face vers Gadson, comme s'il était une fleur qui n'attendait que son colibri, et lui lança : « Dan a une voix incroyable. Quand on aura vendu les droits audio, c'est à lui qu'on devrait le faire lire, il est parfait. » Elle se retourna vers l'ours aussi sec, sa voix haut perchée pépiant la liste de tout ce qu'elle prévoyait pour lui. L'ours se leva de son fauteuil et alla vigoureusement se frotter l'échine contre le chambranle de la porte. Brute influençable, il voyait de nouveau les prairies en fleurs et les colibris voletant au-dessus. Il s'allongea par terre et roula sur le dos.

Aussitôt, Gadson appela Boykins. « Ton client est dans mon bureau, il se roule par terre. » Gadson regarda Bettina : « Chum me dit que ça lui arrive, mais que ça lui passe. »

Bettina contemplait l'ours avec une fascination horrifiée. Il pédalait dans les airs tout en contorsionnant sa colonne vertébrale, se tordant d'abord dans un sens, puis dans l'autre, une lueur vaguement obscène au fond des yeux. L'émission *Good Morning America* apprécierait-elle un invité susceptible de se mettre à quatre pattes sans prévenir ? Elle adressa un regard à Gadson. « Avec ça, on peut partir en tournée ?

– Pas dans les librairies Dalton des centres commerciaux, non, impossible. »

Bettina se tourna de nouveau vers le romancier qui se tortillait toujours avec frénésie. « Et si on appelait ça une performance artistique ?

– Une performance épileptique, ce serait plus exact », commenta Gadson.

Bettina ne parvenait pas à détacher ses yeux de Dan Flakes. Il arrivait parfois qu'une vélocité incontrôlée l'envoie elle aussi par terre, et même si elle se reprenait toujours aussitôt, cela demeurait embarrassant. Ce qui était intéressant à propos de Dan Flakes, c'est qu'il en tirait profit. Loin d'avoir l'air embarrassé, il paraissait incroyablement sûr de lui et plein d'entrain. « Je peux en faire quelque chose, dit-elle d'une voix décidée.

– Son livre est si sérieux, remarqua Gadson. Difficile de le faire coïncider avec ce que j'ai sous les yeux en ce moment. Je ne dis pas que ça me dérange de le voir se rouler par terre, mais je pense tout de même que vous allez avoir du mal à vendre la chose. »

L'ours avait presque fini de se gratter. Quand les deux visages dans la pièce se firent de nouveau nets, il se rendit compte qu'ainsi vautré à terre il était à nouveau en train de se donner en spectacle. Un sourire penaud lui barra le visage et il se redressa sur son séant.

« Vous vous sentez mieux ? » s'enquit Gadson d'une voix soucieuse.

L'ours regardait Bettina. Les petits oiseaux lui avaient toujours paru tellement intelligents, la façon délicate qu'ils avaient de se nourrir était si différente de ses rustres méthodes ; et cette femme colibri était si intensément concentrée, ses yeux brillaient d'un tel intérêt pour lui – il sentit qu'elle allait devenir son mentor. Il tendit une patte vers elle.

« Oui, mon cher, je suis là ». Bettina avait l'habitude des auteurs en manque d'affection.

« Je dois bien reconnaître que je suis touché », dit Gadson. Il sautait aux yeux que sous une apparence bourrue, Flakes dissimulait une nature sensible, aussi vulnérable qu'un enfant. Il murmura à l'attention de Bettina : « Une touche d'autisme, vaillamment surmontée ? Est-ce que ça pourrait être un angle d'attaque ? »

Bettina contempla Dan d'un air songeur, tandis qu'il se remettait debout, sa silhouette disgracieuse semblant peiner à retrouver l'équilibre. Pourtant, tout juste de retour sur ses deux pieds, il dégageait la même incroyable présence. « Doux Jésus, quelle combinaison. Fort mais blessé. Les femmes vont l'adorer. Il va falloir que j'en sache beaucoup sur votre vie, Dan. Parce que quelque part au milieu de tout ça se trouvent les petits détails charmants qui font une communication réussie.

– Eh bien, au revoir », dit l'ours, qui ne pouvait supporter la compagnie des humains qu'à faible dose. Central Park l'appelait; il avait besoin des émanations fabuleuses des arbres pour calmer son esprit, grandement secoué par la ville. Dès qu'il se tourna vers la porte, Bettina lui emboîta le pas comme une fusée. Sa manche se prit dans le bras de carton de Barton Balfour III et la silhouette géante bascula, la main descendant dans son dos pour venir accrocher l'écharpe de couleur vive qui ceignait sa taille de guêpe. « Mon Dieu, il me suit, Elliot!

– J'arrive, ma chérie, répondit Gadson en démêlant Bettina du bras de Balfour.

– Il est fichu?

– Il a de la ressource. Vous feriez bien de vous dépêcher si vous voulez rattraper Flakes.

– Je l'aime bien, pas vous?

– Avec quelques réserves.

– Eh bien, au moins, lui n'a servi personne dans une sauce aux champignons. » Bettina essaya de nouveau de redresser rapidement son chignon rebelle et se précipita dans le couloir; les éditeurs dans leurs box eurent la sensation de voir filer un projectile aux couleurs vives. Cavendish Press appartenait à Tempo Oil, et quand Bettina se rua dans l'ascenseur à la suite de l'ours, elle se retrouva en compagnie de pétroliers texans conservateurs. Ils savaient que Bettina occupait un poste plutôt important chez Cavendish, sans parvenir à imaginer comment elle était montée si haut en titubant à travers le bâtiment comme elle le faisait, tel un chien de prairie en train de chier du piment.

Au moment où elle émergeait sur Madison Avenue avec l'ours, un taxi se rangea à leur hauteur et Boykins en bondit. « Je suis venu aussi vite que j'ai pu. Dan, est-ce que tout va bien ?

– Mangeons, répondit l'ours en désignant un vendeur de hot-dogs ambulant.

– Il a l'air d'aller, dit Boykins à Bettina. L'attaque a été sévère ?

– Je dirais modérée. » Bettina et Boykins agitaient les bras simultanément avec l'ardeur élégante d'un parc éolien – une sacrée paire.

« Dan, savez-vous ce qui cause ces crises ? demanda Boykins.

– Hot-dogs, grogna l'ours, brandissant un sandwich dans chaque patte.

– Je ne devrais pas poser la question, sans doute, remarqua Boykins. Après tout, ce ne sont pas mes affaires. » Boykins agitait sans cesse un doigt dans les airs avant de le reposer au bout de son nez. Depuis qu'il avait pris Dan pour client, ses tocs avaient commencé à s'aggraver, après des années d'hibernation modérée. Il considéra Bettina nerveusement. « Où allez-vous tous les deux ?

– Nous apprenons juste à nous connaître. Pourquoi ne pas nous accompagner, Chum ? » Bettina observait Dan du coin de l'œil. Il était aussi placide qu'une assiette de pain grillé. Serait-il capable d'offrir aux médias des saillies pétillantes ?

– On a vendu le titre au Livre du Mois, Bettina, vous saviez ? demanda Boykins.

– J'ai entendu dire, oui, félicitations. » Son équilibre revenu, l'ours avançait à grands pas. Partout, il y avait à manger. C'est à moi, se dit-il, tout ça est à moi.

Ils passèrent devant un énorme Mickey Mouse en vitrine d'un magasin de jouets, et Boykins fut saisi d'un affreux souvenir de lui à Disneyland, alors qu'il avait douze ans, paralysé par le besoin irrépressible de faire une génuflexion chaque fois qu'il voyait Mickey.

« Parc », dit l'ours en prenant vers l'ouest, attiré par une odeur d'eau saumâtre.

Un vendeur de ballons était installé en bordure du parc, de gros animaux gonflables flottant au bout de leur corde au-dessus de sa tête, parmi lesquels : Mickey Mouse.

À genoux, intima Mickey à Boykins. *Ou un terrible malheur s'abattra sur ton client.*

« J'ai fait tomber quelque chose... » Boykins se baissa sur un genou devant l'impérieux ballon à hélium.

– Allez, Chum, il va nous semer. » Bettina saisit Boykins par le coude et le força à se relever. Boykins tourna la tête vers la souris flottante. « Je songeais... à... l'acheter pour mes enfants.

– Je ne savais pas que vous aviez des enfants.

– J'en ai un... un enfant éloigné...

– Un enfant éloigné ?

– Un cousin.

– Chum, est-ce que tout va bien ?

– Non. J'ai une attaque de troubles obsessionnels compulsifs. Je vais finir en camisole de force, Bettina.

– Vous avez peur d'avoir laissé la gazinière allumée ou quelque chose comme ça ?

– J'ai peur pour Dan. »

Ils s'étaient engagés sur le sentier qui descendait vers l'intérieur du parc. L'ours se trouvait déjà en bas, à côté du lac.

– Il est fantasque, dit Boykins, et je cherche sans arrêt à le contrôler.

– Je suis douée pour juger du caractère des gens environ trois jours par semaine, répondit Bettina, alors ne tenez pas compte de mon avis. Mais… » Elle pointa le doigt vers Dan, lequel contemplait le lac. « Il ne me semble pas être quelqu'un de contrôlable.

– C'est une mine d'or, Bettina. La confiture dans le bagel de mon existence. S'il fait une crise dans un embouteillage, que se passera-t-il ? »

Arrivés au bas du sentier, ils se dirigèrent vers leur auteur.

Au bord de la mare, un enfant en costume de petit mousse pilotait un sous-marin télécommandé. Assise sur un banc non loin, sa nounou anglaise lisait un tabloïd dont la une annonçait la nouvelle liaison de la princesse Diana avec un bel extraterrestre qui l'enlevait de Londres tous les soirs dans un faisceau lumineux pour lui offrir le tendre amour charnel qu'elle méritait.

L'ours avait les yeux rivés sur un frémissement presque imperceptible dans la mare. Alors que le frémissement s'approchait, ses yeux se plissèrent. Il aperçut une forme allongée se mouvant sous la surface avec aisance ; il se pourlécha les babines. Sautant dans l'eau, il passa promptement à l'attaque.

« Dan ! » Boykins et Bettina arrivèrent à sa hauteur à l'instant où ses mâchoires se refermaient sur le sous-marin. Il y eut un bruit de plastique écrasé. Des ressorts et des puces informatiques apparurent entre ses dents.

« Nounou, nounou, il a mangé mon sous-marin ! »

Dur, se dit l'ours en mâchant ce qu'il pensait être le crâne et les arêtes du poisson. Vraiment très peu de goût. Un vieux spécimen, sans doute.

Bettina tenta de tirer son nouvel auteur de l'eau. Il l'évita, elle s'accrocha et se retrouva suspendue les pieds dans le vide. Peu après, elle était dans la vase jusqu'aux chevilles. « Oh non, mes chaussures françaises à trois cents dollars, quelle arnaque ! Elles vont fondre, j'en suis sûre…

– Nounou ! Nounou ! »

L'ours recracha de nouveaux morceaux de poisson. Le kiosque et le gouvernail du sous-marin coulèrent au fond de la mare tandis qu'il secouait la tête de dégoût. Pas le moindre petit morceau de chair savoureuse, constata-t-il.

« Nounou, il est tout cassé ! »

Posant son journal avec réticence, Nounou s'avança vers l'ours. L'ours considéra Nounou, puis Bettina, puis Boykins. Baissant les yeux vers ses pieds, il vit que ses nouvelles chaussures étaient pleines d'eau et son pantalon trempé jusqu'aux genoux. Serais-je en train de faire mauvaise impression ? se demanda-t-il en se débarrassant des derniers morceaux dans sa bouche. « Poisson », dit-il en guise d'explication.

« Bettina, dit Boykins en l'aidant à sortir de la mare, est-ce que ça va ? Je suis navré.

Vous n'y êtes pour rien, Chum. Patauger dans la fange, tel est le lot commun des attachés de presse. »

Dans un geste de colère, le garçonnet habillé en petit mousse jeta sa télécommande à la mare.

« Je vais payer, dit Boykins. Combien ?

– Mille dollars, répondit l'enfant, dont le père était trader sur le marché obligataire.

Boykins tendit deux billets de cinquante dollars. Nounou s'empara prestement de l'argent qu'elle glissa dans son sac.

Des incidents aussi lucratifs que celui-ci étaient trop rares sur le chemin d'une nounou.

Faisant mine de scruter le fond de la mare, Boykins s'agenouilla.

« Que des arêtes », remarqua l'ours, croyant son agent lui aussi à l'affût d'un poisson à se mettre sous la dent.

Boykins se releva et dévisagea son client. Dan semblait n'éprouver que de l'indifférence à l'idée d'avoir mangé le jouet d'un enfant. Tandis qu'il se curait tranquillement les dents, la nounou emmenait l'enfant en larmes. Il sait quelque chose sur la vie que j'ignore, constata Boykins intérieurement, et cette chose, je vais l'apprendre.

Bettina vint se poster de l'autre côté de Dan, ses pieds couinant dans ses chaussures françaises à trois cents dollars la paire dégoulinantes. Ceci mis à part, cette prise de contact avec un nouvel auteur n'était pas pire que d'habitude. En termes d'image, une personnalité qui démolissait des jouets d'enfant *pourrait* être intéressante à vendre, à condition de trouver le bon angle. « Avez-vous agi ainsi parce qu'à vos yeux les enfants sont exploités par l'industrie du jouet ?

– Mauvaise pêche », répondit l'ours.

C'était donc bien, comme Bettina l'espérait, un écologiste.

Bettina réfléchit à sa réponse. *Dan Flakes, célèbre amateur de sport, résume en deux mots les problèmes sociétaux* : mauvaise pêche.

Une saillie pleine de potentiel.

« C'est tout ce qui reste de la vieille propriété des Spooner, annonça Vinal Pinette en posant la main contre le poulailler délabré. « J'ai pas connu plus grand génie que Titus Spooner, quand y s'agissait d'inventer des trucs. Le problème, c'est qu'il inventait des trucs qui servaient à que dalle. Faites comme moi. Appuyez votre épaule là. »

Bramhall poussa de conserve avec Pinette. « Plus fort, dit Pinette, c'est gelé. »

Bramhall se laissait porter par les suggestions littéraires de Pinette sans savoir où elles le mèneraient. Dernièrement, toutes semblaient liées aux poules. Il poussa plus fort, sentit le poulailler céder, et un craquement monta de quelque part sous son plancher.

« Comme ça, oui, l'encouragea Pinette. De toute la force de vot' dos. »

Ils forcèrent et la structure commença à pivoter lentement sur elle-même, couchant les herbes sur son passage. Ils la tournèrent de quelques degrés sur l'horizon avant de s'arrêter, hors d'haleine. « Dans le temps, on pouvait y arriver d'un seul doigt, précisa Pinette.

– Mais pourquoi quelqu'un voudrait-il faire ça?

– Pour faire tourner les poules dans leur nid. D'après Titus, fallait qu'une poule change d'orientation quatre fois par jour. » Pinette coula un regard par la fenêtre cassée du poulailler. « Le mécanisme était de première qualité; par contre, l'idée de départ tenait pas la route, parce qu'on s'en

67

fiche bien de quel côté une poule regarde. Toutes les idées de Titus, elles avaient ce genre de défaut. Sa femme, elle lui reprochait sans arrêt de perdre son temps à inventer des trucs, elle lui disait que ça finirait par les mettre sur la paille. » La tête de Pinette émergea de l'encadrement de la fenêtre. « Et maintenant, tout ce bordel a tellement tourné que tout a été balayé de c'te terre, Titus et sa femme y compris. »

Pinette jeta un regard vers son ami, afin de voir si celui-ci comprenait ce qu'il essayait de dire. « Ça ferait pas un meilleur bouquin que celui que vous avez perdu, ça ? On va l'écrire ensemble, vous et moi, et quand on aura fini on mettra la saleté dans un coffre-fort en acier trempé. » Pinette imprima de nouveau une poussée au poulailler, lequel céda plus facilement cette fois, pivotant de plusieurs degrés sur son axe rouillé. « Je dis pas que le poulailler pivotant de Titus c'est la septième merveille du monde, mais y avait quelque chose de spécial dans le regard des poules quand elles commençaient à tourner. »

Bramhall ne répondit rien, présentant silencieusement ses respects au rêve de l'inventeur disparu.

Une belette sortit la tête d'un coin de la construction.

« Elle nous croquerait si elle pouvait, remarqua Pinette. Ça n'a peur de rien quand y s'agit de bouffer. »

La belette considéra Bramhall. Elle semblait n'éprouver que dédain pour un être si gauche, si lent, si désespérément déconnecté des courants qui font d'une belette ce qu'elle est.

« Elle descend d'une longue lignée de tueurs de poules », commenta Pinette alors que l'animal disparaissait.

La vélocité létale de l'animal frémissait toujours dans l'air, comme une perturbation en suspens dans son sillage. Percevant la direction de l'onde invisible, Bramhall se retourna brusquement et scruta les herbes hautes. Précisément à l'endroit où ses yeux s'arrêtèrent, la belette réapparut. Quand elle se redressa sur ses pattes arrière, Bramhall sentit que la petite tueuse revoyait l'opinion qu'elle s'était faite de lui, peut-être en bien.

« Quelle chance que je me sois trouvée à New York en ce moment même », dit Zou Zou Sharr à l'ours alors qu'ils sirotaient des cocktails chez Elaine's, un bar de Manhattan fréquenté par les stars et le gratin de l'édition. Avant de devenir agent pour la Creative Management Corporation, Zou Zou avait dirigé l'empire du Docteur Minceur de Bel Air et gardait la ligne grâce à ses produits naturellement parfumés aux arômes artificiels. Elle était dotée d'une flamboyante chevelure rousse et d'un sourire mielleux, qui devenait de glace à la moindre contradiction, tout comme ses yeux d'un bleu intense. « Il est tellement plus agréable de traiter avec un auteur en face à face », dit-elle à Flakes. Ayant lu la fiche de lecture rédigée à l'agence par un stagiaire de dix-huit ans, elle ajouta : « Et je suis folle du livre, bien entendu. »

Sous la visière de sa casquette de baseball, l'ours observait Zou Zou Sharr. Jamais auparavant il ne s'était trouvé si longtemps à proximité d'une femelle humaine, et il appréciait l'expérience. Avec des poils sur le visage et le dessus des mains, elle pourrait être belle.

« Nous gérons certains des plus gros succès de la saison, continua Zou Zou. Et je sais que nous serons à la hauteur du vôtre. » Elle n'avait pas lu le livre, mais son enthousiasme était sincère. Dans le show-business, les livres n'étant que des livres, personne ne savait trop qu'en faire, mais le buzz, en revanche, ça, on pouvait s'y fier. Zou Zou comprenait le buzz, le buzz c'était sa partie, elle allait de buzz en buzz comme une fleur cherche les abeilles. Et le buzz autour du livre de Dan Flakes était énorme.

D'un geste discret de la patte, l'ours ajusta sa queue pour s'installer plus à son aise sur la chaise du restaurant. Il avait bien envie d'un soda. Le pétillement sur ses lèvres, les petites bulles qui chatouillaient le nez, c'était la vie à cent à l'heure pour un ours. Pourquoi devrait-il regretter ? Un ours vit dans l'instant. Il reste sourd à la petite voix en lui, pareille à celle d'une fleur, qui lui murmure, *Il y a un ruisseau derrière les arbres, en bas de la colline, il y a des poissons dans les plans d'eau, reviens, reviens.*

« J'ai parlé à votre éditeur et à votre attachée de presse, dit Zou Zou. La campagne de com' va être gigantesque. » Zou Zou se renversa sur sa chaise et laissa errer son regard sur les tables environnantes ; elle était contente d'avoir quitté L.A. Elle s'était récemment séparée d'un jeune réalisateur qui aimait faire l'amour en regardant la version intégrale du *Cuirassé Potemkine*. Maintenant, chaque fois qu'elle songeait à franchir le cap avec un homme, l'image d'un landau dévalant un escalier lui envahissait l'esprit. Se penchant vers l'ours, elle le dévisagea de son regard bleu plein de compassion. « Vous avez une sacrée équipe à vos côtés, et CMC veut en faire partie. À l'instant où je vous parle, mes associés attendent à côté de leur téléphone que je leur annonce que vous allez signer chez nous. » Elle aurait d'ailleurs dû prendre contact avec Flakes plus tôt, mais le cuirassé Potemkine l'avait trop détruite pour la laisser se concentrer sur le buzz.

Son parfum arrivait en volutes jusqu'au nez de l'ours, une senteur légère, délicate. Il se rappela de ne surtout pas exprimer ses émotions en se roulant par terre, bien que cela eût été une bonne manière pour trouver d'autres mallettes. Chum Boykins lui avait dit que beaucoup d'auteurs fréquentaient

Elaine's, et beaucoup d'auteurs, cela signifiait beaucoup de mallettes.

« Ce que j'adore dans votre livre, continua Zou Zou, c'est qu'il emporte le lecteur, tout en restant dans le politiquement correct. J'adore le fait que vous abordiez sans aucune honte la question féministe.

– Vous sentez bon. »

Zou Zou Sharr eut un sourire hésitant. D'habitude, elle aurait renvoyé ce genre de commentaire sexiste au visage de son auteur, mais elle venait tout juste de complimenter Dan sur son point de vue concernant les droits des femmes. De plus, il n'avait pas encore signé le contrat avec Creative Management – ce dont elle était entièrement responsable –, alors elle décida d'encaisser l'insulte comme on le faisait dans le temps et laissa son plus éblouissant sourire lui barrer le visage. Pourtant, même si elle lui offrait le meilleur de ses yeux, de ses lèvres et de ses dents, elle n'était pas tout à fait à l'aise avec Dan Flakes. Il ne parlait ni d'argent ni de pourcentage et lorsqu'un client potentiel se comportait ainsi, cela pouvait signifier qu'il avait déjà fait une croix sur elle et sur son agence. Elle ne pouvait pas laisser se produire pareil cauchemar, sans quoi elle devrait affronter l'ire tout à fait justifiée de ses supérieurs. Elle risquait même de se faire renvoyer, parce qu'elle avait bien senti la menace qu'elle représentait pour certains de ses collègues masculins aux égo fragiles. Zou Zou avait l'égo fragile, elle aussi, mais elle le tenait confiné dans un emballage indestructible, tel un cookie de régime de la marque Bel Air, affichant une durée de conservation de sept cent cinquante ans. « Je veux que vous vous sentiez libre de m'appeler n'importe quand, Dan, de jour comme de nuit. Je suis sûre que vous aurez tout un tas de questions sur la manière dont les choses se passent à

Hollywood, et vous méritez des réponses honnêtes. Je vous les donnerai. Je ne vous dirai jamais rien d'autre que la vérité. »

Le garçon posa sur la table une corbeille de petits pains et une assiette de portions de beurre. Ses vêtements étaient si saturés d'odeurs de cuisine que l'ours dut réfréner son envie de lui beurrer le bras pour le manger. Ces moments sont les plus difficiles, songea-t-il. Il se força à tendre poliment la main vers un petit pain, qu'il beurra lentement. Sa méthode était de faire disparaître la mie sous les portions de beurre, toutes les portions de beurre.

Zou Zou l'observait, pétrifiée. Elle n'avait pas mangé de beurre depuis dix ans.

L'ours avala le petit pain. Un petit peu de beurre lui resta sur le bout du nez. D'une torsion de sa longue langue rouge, il s'empara du morceau qu'il envoya au fond de sa bouche.

« Je vois que vous aimez manger », remarqua Zou Zou nerveusement. Depuis plusieurs années, elle faisait souvent un rêve dans lequel elle flottait sur un océan de beurre tiède, un petit pain en guise de barque. Si elle mangeait le petit pain, elle se noyait dans sa propre cellulite.

« Encore », fit l'ours au garçon, en désignant l'assiette de beurre vide.

Zou Zou fit lentement tourner son verre à pied entre ses longs doigts délicats en essayant de ne pas songer à la quantité de calories qui venaient d'être dévorées sous ses yeux. « Quand vous pensez à la version cinématographique de *Désir et Destinée*, qui voyez-vous dans le premier rôle ? demanda-t-elle.

– Popcorn », répondit l'ours. C'est en suivant un jour l'odeur entêtante du popcorn qu'il avait fait connaissance avec le cinéma. Si le film en lui-même n'avait pas signifié grand-chose, le popcorn au beurre avait été une révélation.

Il se passe quelque chose ici, se dit Zou Zou. Dan Flakes

joue les péquenauds pour me désarçonner. Je sais que ce n'est pas un péquenaud, parce que les péquenauds ne peuvent pas s'attirer un tel buzz. Les péquenauds n'ont pas l'occasion de parler à des femmes comme moi.

« Vous me dites que cela vous est égal de savoir qui aura le premier rôle. Ça vous indiffère. Je comprends, bien entendu. Vous êtes un artiste, vous vivez au milieu de nulle part. Ce qu'on fait à Hollywood est sans intérêt pour vous et, après tout, pourquoi cela devrait-il en être autrement ? » Zou Zou se pencha vers lui et, baissant la voix, elle lui parla comme elle s'adressait dans le temps aux gens qui ne savaient pas qu'ils avaient besoin d'un milk-shake de régime entièrement composé de mousse de plastique comestible, des gens qui ne connaissaient pas la haute valeur nutritionnelle du plastique. « Mais peut-être que cela devrait vous intéresser, Dan. Question stars, Creative Management a les moyens d'attirer le haut du panier, et le haut du panier, c'est plus de sous à l'arrivée.

— Popcorn et beurre, dit l'ours.

— Je vous l'accorde, cet argent, c'est beaucoup de vent, pas de quoi engraisser son homme, je reconnais que tout cela manque de véritable substance. Mais aucune autre agence n'est à même de vous garantir le moindre dollar. » Elle scruta le fond de ses yeux sombres. Son air innocent était trompeur. De toute évidence, il savait jouer le jeu des négociations, suggérait qu'il avait une autre option. Elle changea son fusil d'épaule. « Vous êtes du Maine, dit-elle. Ce doit être le paradis de vivre là-bas.

— Pas assez de miel. »

Zou Zou fronça les sourcils. Dan Flakes n'allait pas se laisser distraire. « Dan, je vous promets que nous allons vous faire l'offre la plus alléchante du marché. Nous sommes dévoués à la cause de nos clients et nous nous décarcassons pour leur obtenir des bonus du début jusqu'à la fin, dès le premier jour de production.

– De la glace tous les jours », dit l'ours. S'ils parlaient contrat, il tenait à régler les points importants.

Elle secoua tristement la tête. « Je ne pourrai pas vous obtenir un bonus pour chaque jour de tournage. J'aimerais bien. Mais personne ne vous obtiendra cela.

– Avec des éclats de noisette. »

Elle voyait qu'il allait se montrer déraisonnable.

« Et beaucoup de crème fouettée. » Il frappa la table de sa patte. Il savait comment ces choses-là devaient être servies et ne ferait aucune concession sur les noisettes ou la crème fouettée.

« Bon, soupira-t-elle, nous avons une actrice – je ne veux pas citer de noms – dont le contrat stipule que tous les jours, quand elle arrive sur le plateau, un cadeau spontané doit l'attendre. Il s'agit parfois d'un bracelet fabuleux et d'autres fois d'une montre fabuleuse. Bref. Nous allons voir si nous pouvons vous offrir un cadeau fabuleux par jour de tournage, charge à nos avocats et non au studio de définir "fabuleux". Qu'en dites-vous ?

– Je pourrai tremper mon biscuit. »

Mon Dieu, songea Zou Zou, avec les hommes, tout se résume toujours au sexe. Elle croisa les jambes, laissant sa jupe remonter à mi-cuisses ; même si jamais jusqu'ici elle ne s'était servie de son sex-appeal pour conclure un contrat, elle pivota vers lui. « J'ai entendu dire que le Maine était fantastique pour les sports de voile. Vous pratiquez la voile ?

– La pêche.

– Oui, bien sûr, votre livre en est plein. » Elle se pencha vers lui, de manière à lui faire savoir que sous ses dehors de femme d'affaires, elle était sensible à la littérature. « Cela se voit, je suppose, mais… votre travail m'enthousiasme. »

L'ours baissa le regard vers ses jambes. Quel dommage qu'elle les rase. Il releva les yeux. « Laissez-les pousser », dit-il.

À mille lieues de penser qu'un homme pourrait lui demander de laisser pousser les poils de ses jambes, Zou Zou replaça sa remarque dans le contexte général de leur conversation. « Laisser les choses pousser à leur rythme est l'approche naturelle dans la relation entre l'artiste et l'agent, bien sûr, mais nous ne pouvons pas les laisser pousser trop lentement, Dan. Nous avons besoin d'un accord écrit. » Elle se pencha au-dessus de la table et posa la main sur son bras. « Comme je viens de le dire, ce projet m'enthousiasme. » Zou Zou avait prévu de prendre sa retraite dans le sud de la France, avec deux jeunes culturistes qui la promène-raient en chaise à porteurs. Une retraite confortable exigeait qu'elle s'enrichisse *maintenant*, alors elle autorisa sa main à s'attarder sur le poignet de Flakes.

Elle avait des ongles longs et rouges, un détail cosmétique auquel l'ours eut du mal à s'adapter. Comme il grognait, elle retira sa main, ses yeux bleus fixés sur lui comme des armes à faisceaux laser. « Très bien, Dan. Pourquoi ne pas jouer franc jeu avec moi ? Qu'y a-t-il d'autre dans l'accord qui ne vous satisfait pas ? »

L'ours avala une gorgée de vin et chercha quelque chose de constructif pour alimenter la conversation. « On m'a dit que vous aimiez le gâteau.

– Est-ce votre façon de me dire qu'à votre avis, Creative Management s'arroge une part trop importante du gâteau ? Aucune des agences qui prennent moins que nous ne dis-pose de notre influence. Ils vont vous promettre la lune, mais au bout du compte vous n'aurez rien. Nous avons les réalisateurs et nous avons les stars. Dan, croyez-moi, votre part du gâteau est exactement ce qu'elle devrait être, tout comme celle de CMC.

– Quand je mange un gâteau, je le mange en entier.

– Bien sûr, et je l'entends tout à fait. Le livre est à vous, c'est votre création et vous voulez de l'équité. » Il était forcément en pourparlers avec d'autres agences, Zou Zou en transpirait. « Je sais ce qui vous fâche. C'est le pourcentage que nous prenons, n'est-ce pas ? Eh bien, de quinze, nous allons le baisser à quatorze et demi. Vous savez pourquoi ? Parce que votre livre m'a tellement prise aux tripes que je dois absolument l'avoir. Je sais que je suis destinée à être celle qui le représentera. » Elle posa une main ouverte sur sa poitrine d'un geste théâtral.

L'ours la considéra. Des pensées d'ours s'agitaient sous son crâne, des pensées où il se voyait avançant de sa démarche souple sur une route de campagne au coucher du soleil. Le vieux territoire lui faisait signe. Le reverrait-il un jour ? Zou Zou prit son regard sombre pour un refus. Elle sentit le sol d'Elaine's se changer en mousse de plastique comestible et se vit de nouveau pataugeant dans le milk-shake de régime.

La suite de Creative Management au Plaza Hotel était meublée comme un petit Hollywood loin d'Hollywood. Dans ce repaire opulent, l'ours se sentit pris d'un profond embarras : une femelle se tenait face à lui, attendant qu'il accomplisse l'acte d'accouplement, mais il ne pouvait pas.

Zou Zou, face à lui, en sous-vêtements, était tout aussi embarrassée. Prise de panique à l'idée de le perdre comme client, elle avait commencé à se défaire de ses vêtements. Dan Flakes l'avait alors imitée, il avait semblé l'encourager, mais il jetait à présent des regards angoissés alentour, il était clair qu'il voulait partir. Mon Dieu, songea-t-elle, il est impuissant, et je l'ai contraint à l'admettre. Comment ai-je pu me montrer si stupide ? Elle fit un pas vers lui, puis hésita. « Je suis navrée, Dan. Je me suis comportée comme une idiote. »

L'ours n'arrivait pas à répondre. Les gens parlaient, c'était ce qu'ils faisaient le plus. Mais il avait si peu à dire, et de toute façon, que dit-on à une femelle humaine en chaleur ? Il grogna dans sa barbe. Quand elle l'avait emmené dans son repaire, il croyait que c'était pour lui offrir un autre dessert. Puis elle avait exécuté des mouvements suggestifs, mais rien d'ample ni de pesant, pas de bave ni de grognements. Elle n'avait pas grondé ni remué l'arrière-train de manière aguicheuse. C'était ça qui excitait un ours. Les femelles humaines ne savaient tout bonnement pas émoustiller les ours.

« Dan, je vais vous dire la vérité. Je risque de perdre mon poste. L'argent manque et si je ne vous signe pas, on pourrait me virer. » Zou Zou redressa la bretelle de sa combinaison, glissa ses pieds habillés de bas dans ses chaussures. « Pardonnez-moi, s'il vous plaît. »

L'ours ouvrit grand les narines, cherchant désespérément une odeur qui lui mettrait du printemps dans le cœur et lui rendrait sa fierté. Il était un souverain de la forêt. Avec les dames ours, il se battait vaillamment, puis elles se rendaient à sa majesté et se soumettaient. Il partait ensuite se chercher quelque chose à manger, et tout le monde était satisfait. Mais cette fois, il avait échoué et se sentait humilié.

Debout devant la fenêtre de la suite du Plaza, une Zou Zou épuisée contemplait le lac de Central Park en contrebas, dans la lumière du crépuscule. Dan dormait. S'asseyant à côté de lui, elle laissa doucement courir sa main le long de sa jambe. « Tu es un animal au lit », murmura-t-elle.

Il avait été long au démarrage, mais une fois lancé, elle n'avait jamais rien connu de semblable. Il l'avait soudain soulevée du sol et l'avait secouée comme une poupée. Ce qui, associé à la perspective de périr noyée dans du milk-shake de régime, avait agi comme un puissant aphrodisiaque. Et puis ses bruits – les grognements et les meuglements, les choses délicieusement incompréhensibles qu'il lui avait grondées à l'oreille – c'était tout bonnement stupéfiant. Et sa technique sortait tellement de l'ordinaire, la manière dont il l'avait retournée avant de lui mordre la nuque et puis… eh bien, quand il avait joui, c'était comme si quelqu'un baptisait le cuirassé Potemkine.

Zou Zou regarda longuement la silhouette faussement corpulente de Dan. Cette façade timide, hésitante, dissimulait un amant héroïque. Ce nounours tranquille était un aussi grand amant qu'il était grand auteur : l'incongruité de tout cela était tellement intrigante. Mais il n'avait toujours pas signé le contrat. C'est le moment, se dit-elle, tant qu'il est détendu. Mais d'abord, imprégnons-le de champagne. Elle s'empara d'une bouteille dans le seau à glace et s'attaqua au bouchon.

Le bouchon sauta et l'ours bondit hors du lit, renversant la lampe de chevet, dont l'ampoule éclata avec un bruit pareil à un autre coup de fusil. Les chasseurs étaient à ses trousses ! Il se rua vers la fenêtre, arracha les rideaux et projeta sa tête à travers la vitre, avec une seule idée : rejoindre les arbres qu'il voyait en contrebas. Zou Zou l'empoigna par-derrière à l'instant même où on frappait à la porte. Elle cria par-dessus son épaule : « Entrez ! Venez m'aider ! »

Le garçon d'étage fit son apparition. C'était un Français d'âge moyen dont les traits trahissaient une fourberie infinie. « En quoi puis-je vous être utile, madame ?

– En quoi ? Bonté divine, il essaie de sauter !

– Très bien, madame. » Le garçon courut à la fenêtre, empoigna le client par les chevilles et tira un bon coup vers l'arrière, une manœuvre qu'il avait déjà eu l'occasion de pratiquer, car des rock stars descendaient fréquemment à l'hôtel.

« Ne lâchez pas ! » s'écria Zou Zou.

Accomplissant son devoir, le garçon retint les jambes musculeuses du client et lui dit, le regard plongé dans la chemise de nuit ouverte de Madame : « Monsieur, tout vous retient à la vie. »

« Oui, Dan ! Vous allez être riche ! Vous êtes une star ! Votre nom sera bientôt sur toutes les lèvres ! »

L'ours renifla l'air. Il sentait l'odeur du steak qu'il avait commandé. Se retournant lentement, il avisa le chariot chargé de mets dans l'encadrement de la porte.

« Vous êtes à l'hôtel, dans ma chambre, en sécurité, dit Zou Zou doucement. Tout va bien. »

L'ours baissa le regard vers le garçon d'étage agrippé à ses jambes. « Je suis en état d'arrestation ? » Il se retint de poser la plus angoissante des questions : On va me mettre au zoo ?

« Bien sûr que non, monsieur, répondit le garçon. Nous sommes au Plaza. » Il se releva, ajustant sa cravate.

L'ours souleva la cloche en argent qui couvrait son steak et Zou Zou tendit au garçon un billet de cinquante dollars. « Merci beaucoup pour votre aide.

– Ce n'est rien, madame. » Le garçon fit demi-tour en toute discrétion et c'est à peine si l'on entendit la porte quand il la referma derrière lui.

L'ours piochait déjà dans ce qui se trouvait sur le chariot. Sa panique était oubliée à présent, parce qu'il mangeait, et parce qu'il était un ours.

Zou Zou se tenait debout à côté de lui. « Vous avez fait un cauchemar. Vous vous êtes réveillé en sursaut, désorienté. Chez Creative Management, nous sommes habitués à travailler avec des artistes désorientés. Nous comprenons la pression qui pèse sur un homme tel que vous. Dan… » Elle posa le contrat de représentation CMC sur le chariot. « Nous sommes de votre côté. Officialisons notre partenariat, d'accord ? Et passons à autre chose ? En choisissant CMC pour vous représenter, vous aurez à vos côtés des agents soucieux de votre bien-être. » Elle lui tendit le stylo. « Vous avez juste à signer, Dan, pour avoir l'esprit tranquille. »

Avec une infinie lenteur, l'ours parvint à signer son nom, sourcils froncés sur les lettres qui, une à une, épelaient son identité d'homme. Sa prouesse achevée, il leva les yeux, non sans un brin de fierté.

« Dan, je suis tellement contente », dit Zou Zou en voyant s'éloigner la mer de milk-shakes ; les ondulations de sa mousse de plastique étaient désormais le problème d'autres déesses marines aux dents longues qui pilotaient l'industrie de la minceur, poussant du bout de leurs tridents les dos replets de l'humanité. Zou Zou replia le contrat en hâte et le glissa dans son attaché-case. « On peut se détendre, maintenant. » Elle passa les bras autour du cou de l'ours. Son odeur enivrante ne ressemblait à rien de ce qu'elle avait connu jusqu'ici. « D'habitude, je ne laisse pas ces choses arriver », dit-elle en pressant son corps contre le sien.

Il sentit qu'elle voulait qu'il recommence ce qu'il avait accompli plus tôt. Elle ne pouvait pas savoir à quel point cela lui avait été difficile de le faire avec elle, à quel point il avait dû l'imaginer couverte de poils.

Vinal Pinette ouvrait la marche jusqu'aux cuisines du chantier d'exploitation forestière, son chien dans son sillage et Bramhall derrière eux. « L'équipe est partie bûcheronner, annonça Pinette, mais Ransome Spatt sera là. C'est lui, le gars qu'on veut. »

Bramhall entendait le bourdonnement lointain des tronçonneuses, puis un autre, plus proche, retint son attention, celui d'une abeille le frôlant. Ses mâchoires claquèrent et l'abeille se retrouva prisonnière. Quand il la recracha avec horreur, sonnée, elle tomba sur un brin d'herbe, auquel elle resta accrochée le temps d'essuyer la salive sur ses ailes à l'aide de ses pattes.

Entendant de l'eau dégouliner, Bramhall se tourna vers la maison. Un homme corpulent vêtu d'un marcel gris se tenait dans l'encadrement de la porte, une bassine trop pleine à la main. « Oh là, Vinal Pinette ! Vieille branche, comment que tu vas ?

– Toujours debout, Ransome. »

Bramhall et Pinette suivirent Ransome Spatt à l'intérieur. Deux gros fourneaux à bois, sur lesquels étaient posées des marmites fumantes, occupaient le centre de la pièce. Des plateaux de pain frais et de brioches étaient posés sur une table en bois grossièrement taillée près de la fenêtre. « Servez-vous en brioches, dit Spatt en poussant du beurre et de la confiture vers Bramhall. C'est possible qu'y ait rien d'autre pour vous aujourd'hui.

– L'équipe est au complet ? demanda Pinette.

– Ouais. » Spatt plongea six cuillerées de sucre dans son thé. « Mais un gars avec de l'expérience serait pas de trop, Vinal. Histoire d'apprendre à ces jeunes guerriers toutes les ficelles du métier.

– Je suis dans l'écriture de bouquins, maintenant, répondit Pinette.

– Chavais pas que t'avais un talent pour l'écriture.

– Je fournis le matériau brut, expliqua Pinette. L'écrivain, c'est Art. »

Bramhall confirma d'un signe de tête cordial, mais il en était encore à essayer de se remettre du fait qu'à peine quelques minutes plus tôt, il avait gobé une abeille en plein vol.

« Mais Art n'a que les ours en tête, lui dit Pinette, alors je crois que notre livre, va falloir qu'il parle des ours.

– Dans ce cas, vous avez frappé à la bonne porte. » Spatt rompit un petit pain et l'ouvrit soigneusement de son couteau. J'ai trouvé mon ourson dans les bois là derrière. Il avait été séparé de sa mère et pleurait comme un pauv' malheureux, alors je l'ai installé ici. Il avait une panière juste là, derrière le fourneau. » Spatt désigna un endroit de la pointe de son couteau. « Tous les soirs, on prenait le p'tit gars au bras de fer sur cette table, et y avait pas un homme au camp qui pouvait le battre. Pas vrai, Vinal ? »

Pinette acquiesça d'un signe. « Et ce petit, il avait pas plus de six mois.

– Il adorait la crème glacée, le petit fils de pute, ajouta Spatt. Il s'asseyait là avec son cornet comme vous et moi et il le léchait de sa grosse langue. La tête qu'il faisait, fallait voir ça ! Et pis le soir, quand il se mettait à bâiller, il s'asseyait à l'endroit où vous êtes. » Spatt tourna le regard vers Bramhall. « Et il écoutait les gars causer.

– Je crois, dit Pinette, qu'il comprenait tout ce qu'on disait.

– Quand on apprend à connaître un ours, dit Spatt, on se rend compte à quel point ils en ont dans le citron. » Il souffla sur le bord de sa tasse. « Eh ben, monsieur, figurez-vous qu'un soir, sa mère, elle est venue le chercher. » Il désigna du doigt l'arrière de la cuisine. « Elle a commencé à creuser un trou dans le sol. Y a rien de plus dangereux que Maman Ours quand elle a été séparée de son petit. Elle aurait arraché les fondations pour entrer, alors j'ai ouvert la porte et j'ai laissé l'ourson la rejoindre. Mais vous savez quoi ? Le petit fils de pute, il voulait pas partir. Il est juste resté là à regarder sa maman et puis il est retourné dans sa panière, comme s'il avait quelque chose d'important à y faire.

– C'est dire s'il aimait les glaces », expliqua Pinette à Bramhall avec un hochement de tête entendu.

« Sauf que Maman Ours n'avait pas l'intention d'accepter ces enfantillages, continua Spatt. Elle s'est plantée dans l'encadrement de la porte et elle nous a jeté un regard qui disait qu'on avait pas intérêt à lui chercher des noises.

– Et on lui en a pas cherché, précisa Pinette.

– Quand elle l'a soulevé par la peau du cou, le petit couillon s'est mis à hurler à vous déchirer les tympans, mais elle l'a traîné dehors. Et ils ont disparu tous les deux au petit trot dans le clair de lune, avec la maman qui le léchait et l'engueulait en même temps. Il nous a regardés une dernière fois par-dessus son épaule, comme s'il avait l'intention de revenir. »

Pinette se balançait sur sa chaise, ses grosses mains de bûcheron posées à plat sur le bord de la table. « J'ai connu pas mal d'animaux dans ma vie, et y en a pas eu un autre d'aussi malin que c't'ourson. Tiens, mon chien, là, par exemple… » Il désigna l'animal, qui lui jeta un regard coupable, ayant compris au ton du vieil homme que l'un de ses faits d'armes les plus médiocres arrivait dans la discussion. « Il a forcé la porte du garde-manger et s'est enfilé d'un trait un sac de vingt-cinq kilos de bouffe. Il a gonflé comme une grenouille-taureau, il en avait tellement plein la panse qu'il pouvait même plus bouger la queue. On pouvait pas faire plus pitoyable comme scène. »

Le chien, la queue battante, se remémorait l'incident, en proie à des sentiments mitigés. Certes, sa gloutonnerie l'avait paralysé, et les douleurs provoquées par les gaz lui avaient valu quelque temps des moments difficiles, mais globalement, l'expérience avait été positive.

« Un ours, lui, y mangerait ce sac de vingt-cinq kilos, puis il en demanderait poliment un deuxième », remarqua Pinette.

Spatt, songeur, tourna le regard vers la fenêtre. « Les ours sont des êtres profonds », remarqua-t-il.

« Il n'y a rien d'aussi profond qu'un ours », acquiesça Pinette.

L'ours prit son temps pour meubler son appartement, car il le voulait d'un goût irréprochable. Des lampes à lave bouillonnante dispensaient la lumière. Une peinture sur velours, représentant une truite, était accrochée au mur. Les murs eux-mêmes étaient tapissés d'un papier peint de chambre d'enfant multicolore qui figurait des nounours s'amusant avec des ballons de baudruche. Un fauteuil poire, épousant mollement les formes de l'ours, était posé devant un grand écran de télévision. L'ours y était installé et regardait un dessin animé qui le ravissait : un coyote aux couleurs vives qu'une boule de démolition aplatissait comme une crêpe contre un mur. Il alluma la lampe à côté de lui, dont les perles d'huile lumineuse tombaient en gerbes autour d'une Vénus en plâtre doré. L'ours aimait tout particulièrement cet objet. C'était parce qu'il était un ours.

Après avoir passé quelque temps devant la télévision, il se sentit mal à son aise. Il se rendit à la cuisine et ouvrit le réfrigérateur. Lequel était plein de tartes et de gâteaux. « Est-ce que j'en ai assez ? » se demanda-t-il. L'instinct qui le poussait à amasser des réserves n'avait pas encore disparu, mais il luttait en se disant « Je peux en avoir plus » et en se rappelant que la plus belle chose qu'offrait la civilisation était la possibilité permanente d'aller faire des courses. Simplement pour se calmer, il ouvrit les placards et contempla ses réserves de miel. Toutes les étagères étaient pleines du nectar doré et il n'y avait aucune abeille à qui le disputer, autre avantage majeur de la vie citadine.

Retournant d'un pas traînant dans le salon, il se rassit devant le dessin animé. Le coyote, à présent, se faisait écraser par un rouleau compresseur, son cou s'allongeant tandis qu'il cherchait à s'échapper. L'ours applaudit des deux pattes. « Cette fois, il ne s'en sortira pas ! » Mais le coyote s'en sortit, et l'ours lui adressa un grognement appréciateur. Les coyotes étaient fourbes. Ils lui avaient plusieurs fois chapardé de la nourriture. Pas d'autre choix que de les frapper violemment contre un arbre, pour les mettre KO. Là, ils se tenaient à carreau.

Ces bribes de souvenirs le firent songer à la forêt qu'il avait abandonnée. « Je devrais rentrer », se dit-il. Mais il repensa alors à son placard plein de miel, et l'entrelacs de pensées sylvestres s'en trouva dissous. Il retourna à la cuisine et sortit un pot de miel de fleurs de tupelo. « Voilà, dit-il tout haut en admirant sa beauté ambrée, tout se résume à ça. »

Il fut brusquement tiré de sa méditation par la sonnerie de son téléphone. Affolé, il fit volte-face, toutes griffes dehors. Ne détectant rien d'autre que le bruit crispant, il quitta à pas lents la cuisine et s'approcha prudemment de l'appareil posé dans le salon. C'était un téléphone d'enfant, qui avait la forme de deux lapins dos à dos, leurs oreilles servant de support au combiné. Dans le magasin, lorsqu'il l'avait acheté, le modèle lui avait plu, mais il le regardait à présent d'un air suspicieux, les yeux plissés, réfrénant l'envie de l'écraser d'un grand coup de patte, parce que les ours ne sont jamais chez eux pour personne.

Les lapins carillonnaient toujours, leurs yeux s'éclairant à chaque sonnerie ; au magasin, cette fonction l'avait ravi, mais maintenant, leurs yeux semblaient clignoter d'une lueur malveillante.

Il décrocha le combiné de son socle et le posa sur la table. Aussitôt, les lapins se turent, mais une voix sourdait de l'écouteur.

« Dan, vous êtes là ? C'est Zou Zou… »

Une femelle, se dit l'ours les yeux rivés sur le téléphone.

« Dan, ça fait des jours que je cherche à vous joindre… Dan ? Vous êtes occupé ? Vous écrivez ? Je ne vous dérange pas, au moins ? »

Il renifla le combiné, essayant d'y déceler son odeur, mais sans succès. Alors que la voix continuait à parler, il parvint néanmoins à la replacer. C'était la femelle avec qui il s'était accouplé. Il porta prudemment le combiné à son oreille.

« Dan, je sais que vous êtes là, je vous entends respirer… »

L'ours sentit une voix minuscule lui descendre en spirale dans le tympan à la manière d'une abeille. Il frappa le combiné contre sa paume, se demandant si quelque chose allait en tomber, peut-être une humaine miniature aux jambes couvertes de pollen.

« Dan, s'il vous plaît, dites-moi quelque chose. Je suis de retour à Los Angeles et j'essaie de reprendre le cours de ma vie, mais j'ai besoin de savoir où nous en sommes, vous et moi. »

Posant son pot de miel, l'ours dévissa le couvercle.

« Dan, s'il vous plaît, dites-moi ce que vous ressentez. Est-ce que je représente quelque chose pour vous ?

— Mon miel à moi, fit l'ours en ôtant le couvercle, admirant les perles dorées qui en gouttaient.

— Oh Dan, je savais que toi et moi, ça n'était pas juste une aventure sans lendemain. Dan, je suis prête à m'investir corps et âme dans la relation. Est-ce que toi aussi ?

— Bien sûr, répondit l'ours.

— Dan, je suis si contente d'avoir appelé. Si tu savais à

quel point j'ai tergiversé. Les yeux rivés sur le téléphone, craignant de composer le numéro, craignant de t'interrompre dans ton écriture, craignant tant de choses… »

L'ours écoutait la femelle bourdonner à son oreille. Il écouta longtemps, fasciné par le petit murmure sourd. Mais il finit par dire : « Eh bien, au revoir », puis il raccrocha. Il était content de la façon dont il avait géré l'appel. Il s'était montré poli, tout en disant ce qu'il avait à dire.

Se saisissant de son pot de miel, il le porta à ses lèvres. Alors que l'ambroisie, douce et désarmante, dégoulinait le long de sa langue, il sut qu'il ne pouvait pas lutter.

« Voilà le gars qu'on cherche », annonça Pinette en désignant à travers la vitre de son pick-up un individu efflanqué qui marchait le long de la route, un bâton à la main et un sac en toile de jute plein de boîtes de conserve vides sur le dos. Le soleil de l'après-midi gravait les contours de son ombre étirée sur la route. « Gus ! » cria Pinette en ralentissant à sa hauteur. « Monte donc ! »

L'homme leva son bâton avec enthousiasme, puis le jeta avec le sac à l'arrière du pick-up avant de monter. Ses vêtements exhalaient une douce odeur de soda. « Gus, je te présente Art Bramhall, fit Pinette. Lui et moi, on écrit un bouquin ensemble.

– Gus Gummersong », répondit l'homme en serrant la main de Bramhall.

Quittant le macadam, Pinette s'engagea sur un chemin de terre et s'arrêta devant une minuscule cabane quelques dizaines de mètres plus loin. La cour tout autour débordait de tas de bois, de pneus, de chutes de ferraille et d'une montagne de canettes de soda et de bière.

« C'est-y pas agréable ce beau temps, bon Dieu ? » fit Gummersong en pointant son menton grisonnant vers le ciel immobile. « Ça fait plaisir de pas être en prison. »

Bramhall pénétra à sa suite dans la plus petite habitation qu'il eût jamais vue. Un poêle minuscule en occupait le centre, à côté duquel était installé un étroit lit de camp. Un seau d'eau équipé d'une louche était posé sur un tabouret, et un pantalon était suspendu à un clou planté dans le mur. Un confort comparable à celui d'une cellule monacale – ou à la tanière d'un animal – dans lequel Bramhall se sentait étrangement bien, mieux qu'il ne l'avait été dans aucun endroit où il avait habité. « J'aime bien chez vous, dit-il.

– Les mouches rentrent pas », répondit modestement Gummersong. Ses dents manquantes lui donnaient l'aspect d'un bouffon du Moyen-âge. Il enleva le seau du tabouret pour que Bramhall puisse s'asseoir. Puis il prit place sur le lit de camp, Pinette à côté de lui.

L'odeur des champs environnants leur parvenait par les minuscules fenêtres. « Alors, racontez-moi un peu ce livre, là, que vous écrivez, fit Gummersong.

– Notre idée de départ, expliqua Pinette, c'était d'écrire un machin sur les ours. »

Gummersong se pencha et tira de sous son lit une bonbonne, la poignée pendant à un seul de ses doigts épais. « De la graisse d'ours, dit-il. Le meilleur endroit où mettre ces fils de pute. Dans une bonbonne. » Il dévissa le couvercle et colla le goulot sous le nez de Bramhall. Il s'en échappa une forte odeur rance. « V'là un ours dont on n'a plus à s'inquiéter. »

Pinette s'empara de la bonbonne et se versa sur le bout du doigt un peu de graisse qu'il frotta contre sa chaussure. « Y a rien de mieux pour les rendre imperméables, essayez donc, Art. »

Bramhall trempa un doigt dans l'épaisseur de la graisse qu'il frotta à son tour contre ses bottes, au niveau des orteils et dans les coutures. L'odeur avait envahi la cabane à présent, et sans qu'il puisse se l'expliquer, elle lui était vaguement familière, comme s'il la connaissait depuis des années.

Gummersong reboucha la bonbonne et la brandit dans

un rayon de soleil qui entrait par sa minuscule fenêtre. Puis il se tourna vers Bramhall. « Tenez, prenez-la.

– Je ne peux pas, répondit Bramhall, qui ne tenait guère à priver l'ermite du peu de biens en sa possession.

– Si, si, prenez-la, intervint Pinette. La graisse d'ours, ça sert à tout un tas de choses. »

Bramhall céda et posa la bonbonne sur ses genoux. « Merci, Gus.

– Oh, taisez-vous. La bonbonne prenait trop de place.

– Comme je disais, reprit Pinette, on rassemble des histoires pour notre livre.

Gummersong se pencha vers l'avant avec enthousiasme : « Y a de l'argent à prendre ?

– Plus tard », répondit Pinette.

Gummersong attrapa le bâton dont il se servait pour embrocher les canettes et les bouteilles vides. « Plus tard, c'est toujours c'qu'on nous bassine, non ?

– Ce que je me dis, glissa Pinette, c'est qu'on devrait écrire une histoire d'amour.

– Dans ce cas, dit Gummersong, z'êtes adressés plus ou moins à un expert. »

Pinette haussa plusieurs fois ses sourcils broussailleux, attendant la suite, et il jeta un regard vers Bramhall afin de s'assurer que celui-ci écoutait.

« L'amour de ma vie, dit Gummersong, était une femme qui élevait des chiens de garde. » Il soupira, balançant son bâton d'avant en arrière d'un air abattu. « Elle était agréable à regarder pour une femme de son âge et savait combler son homme. Et pis au bout d'un moment, j'ai remarqué qu'elle versait des gouttes de quelque chose dans son thé tous les soirs. Alors j'y ai demandé ce que c'était. De l'arsenic, qu'elle m'a répondu. Soi-disant que ça lui calmait les nerfs, ce qu'était peut-être pas faux, j'ai jamais essayé moi-même.

– Tu m'as dit, intervint Pinette, que du coup les soirées étaient paisibles.

– Ben, ouais, fit Gummersong. Mais elle est allée trop loin. Elle a commencé à prendre des gouttes tout au long de la journée, si bien qu'un soir au dîner, elle s'est comme pétrifiée. Le couteau dans une main, la fourchette dans l'autre. Pendant plus d'une heure, elle a pas pu bouger un muscle. J'y ai dit qu'elle faisait une réaction à l'arsenic et qu'elle allait devoir arrêter d'en prendre. Mais bien sûr, elle a rien voulu entendre.

– Une entêtée, acquiesça Pinette.

– Fallait bien, vu son boulot, répliqua Gummersong. Ces chiens de garde, c'étaient des sacrés enfants de salauds, méchants et tout. Enfin, comme elle disait, elle gagnait bien sa croûte. N'importe quel crétin n'allait pas lui dire quoi mettre dans son thé, hein ? » D'un air pensif, Gummersong frappa le sol de planches brutes du bout de son bâton avant de poursuivre. « Eh ben, une semaine après, je l'ai trouvée étalée sur le ventre dans l'enclos des chiens. Ah ça, pour êt'calme, elle était calme. Elle avait clamsé.

– Et là, Gus a fait une erreur, enchaîna Pinette. N'importe lequel d'entre nous aurait pu avoir la même réaction.

– Je me suis tiré, expliqua Gus, sans me demander ce que les chiens y feraient quand ils auraient faim. Eh ben pour sûr, ils l'ont becquetée.

– Un chien affamé, ça fait pas la fine bouche, commenta Pinette.

– Sauf qu'ils étaient pas habitués à l'arsenic dans leur bouffe, alors eux aussi ils ont crevé.

– Quand Gus a rappliqué de nouveau, la police a pas tardé à suivre.

– Je l'avais empoisonnée, qu'ils ont dit.

– Ça a été dans les journaux et tout, précisa Pinette admiratif. C'est pas tous les jours qu'une femme se fait becqueter par ses chiens, avec son petit copain impliqué.

– J'ai dû claquer jusqu'à mon dernier sou pour me tirer de c'te affaire, continua Gus. J'ai dû vendre la ferme. Et malgré tout ça, ma réputation en a pris un sale coup.

– Ouais, mais même avant t'avais pas vraiment bonne réputation, remarqua Pinette.

– Pas faux, répondit Gummersong. Eh ben, monsieur, quand tout a été dit et que le juge a touché son enveloppe, chuis sorti de là avec tout juste une chemise sur le dos. J'ai galéré un moment, avant de trouver le métier que je fais maintenant. » Gummersong brandit de nouveau son bâton. « Et j'ai jamais été plus heureux. J'ai plus cette saleté de ferme sur le dos, et je fais ce que je veux de mes journées.

– Et tout ça, il le doit à cette bouffeuse d'arsenic, précisa Pinette en se levant pour prendre congé. C'est cette partie-là, je crois, qui plaira à nos lecteurs. »

Gummersong les raccompagna dans la cour. « Faudra pas avoir peur de frotter avec cette graisse, dit-il à Bramhall.

– Merci, je n'y manquerai pas », répondit Bramhall, balançant la bonbonne par la poignée.

L'épais liquide jaunâtre produisait un son lourd. Sa vie littéraire avait beau avoir été ruinée par un ours, il tenait la bonbonne avec une forme de courtoisie vis-à-vis de son contenu. Il perçut une sorte de reconnaissance, un message peut-être, selon lequel quelque chose lui était dû parce qu'un ours avait fichu sa vie en l'air, l'affaire étant en bonne voie.

Elliot Gadson et l'ours entrèrent dans la grande salle de musculation cernée de miroirs du club de sport de Gadson. L'ours portait un short de sport en lycra et un T-shirt, tout comme Gadson, lequel avait suggéré qu'un peu d'exercice ne pourrait pas faire de mal à son corpulent auteur. Gadson, champion universitaire de plongeon lorsqu'il était à Yale, était pour sa part en excellente forme. Ces derniers temps, il s'entraînait sur le banc de musculation du club, coaché par Bart Manjuck, un jeune homme à la puissante musculature qui les attendait déjà. Manjuck dégustait une gaufre protéinée Bel Air vendue par le club et portait un T-shirt du club, dont les manches étaient tendues autour de ses biceps. Sa main agrippait l'extrémité d'une barre métallique verticale sur laquelle étaient enfilés cinq cents kilos de poids en fonte circulaires.

« Bart ! lança Gadson, voici mon invité, Dan Flakes.

– Enchanté, répondit Manjuck. Prêt à transpirer un peu ? » Il jaugeait l'ami de Monsieur Gadson, de façon à se rendre compte de sa forme physique. Sacrément en excès de poids, observa-t-il. Aucun tonus musculaire. Et la posture complètement avachie. On dirait que le simple fait de tenir debout monopolise toutes ses forces. « Je crois que pour commencer, on va vous concocter un petit programme léger. Pas trop de poids, on va limiter les efforts.

– Ça me va », répondit l'ours. Éviter les efforts, c'était exactement ce qu'il aimait.

Dans la salle, tout autour de lui, des hommes et des femmes grognaient et haletaient, ramant, soulevant des poids, pédalant, gravissant des marches qui ne menaient nulle part. Bientôt, lui aussi gravirait des marches qui ne menaient nulle part et deviendrait un humain à part entière. Le nombre de femelles présentes le rendait heureux. Peut-être pourrait-il un jour les inviter à partager du miel. Mais quand ces femelles sveltes en plein effort posaient le regard sur sa grosse silhouette, c'est tout juste si elles semblaient remarquer sa présence. Elles avaient la même ambition pour leur corps que pour leur carrière et trouvaient pathétiques les hommes qui ne prenaient pas soin d'eux.

« Dan, venez donc par ici, dit Bart Manjuck. J'ai une machine à biceps curl de disponible et je peux vous régler les poids sur une résistance de vingt kilos. Ça ne devrait pas exercer trop de tension.

– Génial », répondit l'ours obligeamment.

Emboîtant le pas à Manjuck, il se cogna l'orteil contre une pile de poids qu'il ramassa pour dégager le passage.

« Je peux ? » demanda-t-il en soulevant les cinq cents kilos d'un air interrogateur.

Bart Manjuck projeta la tête vers l'avant comme un cha-meau abasourdi. Les femmes sveltes interrompirent leurs exercices pour regarder le gros balourd soulever de l'autre main une deuxième pile de cinq cents kilos. Plein d'égards, il alla les déposer dans un coin de la salle.

Un petit bout de femme entre deux âges se leva de son banc et s'avança prestement vers eux. « Elliot, présentez-nous », dit-elle avec l'accent guttural du sud qu'on entendait dans toutes les émissions télévisées matinales cette semaine-là. « Eunice Cotton, dit-elle en tendant la main vers Dan. Vous savez lever de la fonte, dites-moi !

– Cela étant, bien sûr, ce n'était pas tout à fait dans les règles de l'art », remarqua Bart Manjuck qui sautillait dans ses Nike en faisant saillir ses pectoraux.

Gadson prit la parole : « Eunice, je vous présente Dan Flakes. Je vous ai envoyé le manuscrit de son roman.

– Dan Flakes, c'est donc lui ? Mais j'ai a-do-ré votre livre ! » s'exclama-t-elle. Même si en réalité elle ne l'avait pas lu, il traînait depuis plusieurs jours sur un coin de son bureau, attendant qu'elle rédige une citation pour la jaquette, si bien qu'à chaque fois qu'elle posait sa tasse de café dessus, ses sentiments à son égard grandissaient.

Quant aux livres d'Eunice, ils parlaient d'anges. Son dernier, *Les Anges au lit*, était écrit d'une plume belle et simple, accessible, tout comme son best-seller, *Les Anges au travail*. Son écriture coulait avec la lenteur indolente des eaux du bayou et faisait preuve d'une inventivité d'alchimiste héritée d'un père qui avait consacré son existence à transformer la semoule de maïs, l'eau et le sucre en bourbon de contrebande. Eunice avait quitté les marécages de Louisiane pour devenir coiffeuse à la Nouvelle-Orléans – une idiote aux seins plantés haut et au rire facile. Un jour, inhalant les vapeurs d'une laque particulièrement forte, elle eut une vision : celle d'un homme fort et beau, un vrai mâle, aux boucles couvertes de givre qui lui annonça être son ange gardien et s'apprêter à faire d'elle une star. Le soir après le travail, elle pondit un texte de deux cents pages sur les anges, rédigé dans le style sans chichis d'une coiffeuse s'adressant à une cliente en bigoudis. Quand son logiciel de traitement de texte eut corrigé, plus ou moins, l'orthographe et la grammaire, elle fit relier son manuscrit et s'en fut le distribuer à la convention de l'American Booksellers Association qui se tenait à la Nouvelle-Orléans. Elliot Gadson le reçut directement des mains d'Eunice, y jeta un coup d'œil rapide, s'attendant à quelque chose de loufoque, voire de complètement timbré, et sentit aussitôt que les anges d'Eunice avaient du potentiel. La prenant à part afin de s'assurer qu'il avait affaire à quelqu'un de raisonnablement sain d'esprit, il découvrit en elle une authentique pipelette américaine, qui distillait du rêve comme on respire, exactement comme son père, Anvil Cotton, avant elle. Certes, avec un peu moins de maïs et de sucre, son mélange aurait gagné en saveur, mais ses sornettes grand cru rapportèrent une fortune à Cavendish Press. Eunice s'installa à New York, acheta un appartement de sept pièces dans le Dakota, l'immeuble très chic où avait vécu John Lennon, sur Central Park Ouest, et devint une abonnée des talk-shows. Elle changea de look, adopta une coiffure qui évoquait l'époque des Pères Pèlerins, des vêtements peu flatteurs, et accorda des interviews à Geraldo et à Oprah, les deux animateurs les plus célèbres de la télé, mais derrière le manque d'élégance, la coiffeuse sexy qu'elle avait été sommeillait encore ; lorsqu'elle éclatait de son rire guttural ou osait un commentaire salé, les téléspectateurs adoraient.

Eunice dévisageait le jeune écrivain à l'imposante carrure qu'on venait de lui présenter. Sa silhouette et sa force déconcertante lui rappelaient Papa Anvil (Anvil était capable de semer des agents du gouvernement à travers les marécages par une nuit sans lune, des tonneaux de gnôle sanglés dans le dos). Et il y avait autre chose à propos de cet homme, quelque chose de… d'angélique, c'était bien le mot. Les yeux timidement baissés, il semblait incapable de lui parler. Depuis que l'ange lui était apparu, Eunice s'était tenue à l'écart des hommes, affirmant que les anges à cheveux de givre étaient les partenaires naturels des femmes, mais Dan Flakes dégageait une force qui semblait venue d'un autre monde, comme s'il contemplait l'invisible. Il était, en réalité, plongé dans la contemplation des effluves de toutes les jeunes femmes occupées à se muscler autour de lui. Un odorant fumet, remarqua-t-il. De quoi jouer avec les nerfs d'un ours.

Eunice se regarda de pied en cap dans le miroir. La piscine avait eu raison de sa chaste coiffure et ses cheveux lisses mettaient en valeur les pommettes et les lèvres pleines caractéristiques des Cotton. Gadson songea qu'elle avait peut-être une double personnalité, car la femme sensuelle qui se tenait devant lui n'avait clairement rien en commun avec l'auteur pudibonde des *Anges au lit*, laquelle soutenait dans son livre qu'on devait accomplir les intentions spirituelles des êtres ailés par le biais de fantasmes vertueux sur l'oreiller. La nuit durant, allongé aux côtés de la lectrice, l'ange imaginaire la tiendrait entre ses ailes afin de partager l'exaltation d'une étreinte non consommée.

« Il n'y a pas de meilleur éditeur qu'Elliot, glissa Eunice à l'ours, une fois Gadson juché sur l'un de ces escaliers qui ne menaient nulle part. Il m'a découverte alors que je ne connaissais foutrement rien à l'écriture. »

Mal à l'aise, l'ours se balançait d'un pied sur l'autre. Partout dans la salle, des seins rebondissaient et des cuisses tremblaient, comme si des ourses gigantesques avançaient lourdement vers lui sur un chemin forestier.

Toutes ces femelles pourraient être à moi, se dit-il. Il me suffirait de saccager la pièce et d'écraser les autres mâles.

Mais ce n'est peut-être pas le genre d'exercice autorisé.

Peut-être pas. Mieux vaut s'abstenir que d'être dans le faux.

« Eh bien, au revoir » dit-il, avant de se tourner vers la porte.

Eunice Cotton n'avait pas couru après un homme depuis son dernier congrès de coiffeuses, où elle était ivre morte de surcroît. Elle se dévouait désormais entièrement à son ange. Ou du moins le croyait-elle ; il lui arrivait de songer qu'elle était tout bonnement dingue. La voix de la capilliculture en elle lui susurrait parfois, *Eunice, tu rames dans l'eau avec une seule rame.*

« Journée magnifique, vous ne trouvez pas ? L'automne est vraiment là. » Elle le rattrapa sur le trottoir devant la salle de sport. « Cela vous dérange si je fais un bout de chemin avec vous ? » Mince, songea Eunice, ce gros bonhomme m'a vraiment tapé dans l'œil.

La tête d'un chérubin en marbre poli se trouvait entre eux sur la table basse. Un parmi les centaines d'anges qu'Eunice possédait dans son appartement. Sa collection allait de belles toiles européennes anciennes à des anges sculptés à la tronçonneuse dans un rondin de bois. Un ange en cire avec une mèche plantée dans la tête pouvait l'émouvoir tout autant qu'un ange peint par un maître de la Renaissance. Parfois, elle était d'humeur hautaine, et parfois sentimentale, et dans ce deuxième cas, rien ne pouvait égaler l'ange en plastique de Hong Kong. Elle avait installé ce petit machin à côté de son ordinateur et son sourire nunuche faisait jaillir l'inspiration ; elle écrivait alors, parlait de la façon dont une femme pouvait se connecter aux anges et le rester, quelles que soient les tuiles que lui réserve la vie.

L'ours demeurait sur ses gardes. S'accoupler avec une femme en dehors de la saison du rut avait déjà fichu en l'air son horloge biologique. Il se réveillait au milieu de la nuit et se mettait à gratter les murs.

Eunice se renversa dans son fauteuil, entre deux guéridons sur chacun desquels était posée une lampe en forme d'ange, les créatures aux ailes de bronze portant des abat-jour blancs où d'autres anges flottaient, leurs corps animés d'une lueur douce. Il y avait, dans un coin du salon, un ange grandeur nature, aux couleurs pastel d'œufs de Pâques, l'un de ses yeux masqué sous un chapeau d'Eunice. Dans l'angle opposé se trouvait un chef-d'œuvre baroque de Franz Schwantdaner aux ailes délicieusement sculptées, un parapluie d'Eunice pendant à l'extrémité de l'une d'elles. Les chenets de la cheminée étaient des anges, et c'était un ange doré aux bras ouverts qui tenait le miroir ovale suspendu au-dessus de l'âtre. Une table de bistrot au plateau de marbre dans le renfoncement de la fenêtre avait pour pied un ange musculeux en tenue légère qu'appréciait tout particulièrement Elliot Gadson. Des anges servaient de socle à d'autres meubles un peu partout dans l'appartement, le sourire niais, comme de beaux éphèbes sous calmants. Quatre anges faisaient office de colonnes de lit, leurs pieds nus semblant flotter dans les airs. C'était de la présence de ces quatre belles créatures qu'Eunice avait tiré l'idée de son livre *Les Anges au lit*. Il y avait des magnets anges dans la cuisine, collés au réfrigérateur, et d'autres, en forme de jolis bols, accueillaient des ustensiles. Au mur des toilettes, un ange en cuivre jaune servait de porte-rouleau. Le porte-savon dans la douche affichait quant à lui une expression détachée qui servait peut-être à rassurer la baigneuse sur le fait que la vision de sa silhouette nue, luisante de gel douche, ne ferait pas de lui un ange déchu. Entouré par tous ces anges, l'ours était perplexe. Il ne savait rien d'eux et se demanda s'il avait peut-être omis de remarquer que les êtres humains étaient dotés d'ailes qu'ils gardaient la plupart du temps soigneusement repliées, loin des regards.

Eunice mit les *Vêpres* de Rachmaninov sur sa platine disque. Elle avait beau être issue de la fange des marais, elle savait reconnaître la musique céleste quand elle en entendait.

L'ours, qui n'avait jamais entendu une combinaison de voix humaines d'une musicalité si intense, tourna les oreilles vers le son. C'était l'essence impénétrable de l'homme, et cela le frappa en plein cœur. Les êtres humains étaient si complexes, si mystérieux, d'une telle richesse d'expression. Qu'est-ce qu'un ours pouvait bien offrir de comparable ?

Eunice le vit qui établissait une connexion avec des sphères supérieures. Si elle avait eu besoin d'une autre affirmation de son caractère, cette dernière était là. Eunice, à présent, était certaine que lui aussi entendait les anges.

L'ours ferma les yeux, tandis que le son l'enveloppait de sa grandeur. Les voix des femmes montaient, celles des hommes descendaient, mâles et femelles se mêlant dans un entrelacs d'émotions qui éclipsait la grossièreté des siennes, ses grondements et ses grognements de plaisir ou d'inconfort.

« Dan, à quoi pensez-vous ? »

Il ouvrit les yeux et la dévisagea, puis tourna le regard vers la fenêtre, le parc et les immeubles au-delà, sur la Cinquième Avenue. Les tours de lumière que le monde des humains avait bâties semblaient l'observer de leurs yeux innombrables, tel un ciel envahi de hiboux. *Si tu ne te sens pas dans ton élément, attaque*, lui susurrait la voix immémoriale de son âme animale. Il serra et desserra les pattes. Saccage l'endroit. *Tu n'es peut-être pas aussi futé que les humains, mais tu es plus fort que n'importe lequel d'entre eux.*

« Je me sens moi aussi épuisée ces derniers temps, dit Eunice, assise en face de lui. J'ai écrit quatre livres sur les anges et il ne manquerait plus que je ne trouve pas un angle pour un cinquième. Ce qu'entreprend un écrivain se résume toujours au crépitement d'une flamme, n'est-ce pas ? » En les prononçant, elle sut que ces mots ne venaient pas d'elle mais de son ange intérieur. Dan Flakes l'avait appelé. Une bande d'anges haut placés planaient dans son sillage, elle en était certaine.

L'ours gagna la fenêtre, agité. Depuis le sommet des montagnes, il avait contemplé de vastes étendues désertes et silencieuses et s'était senti dans son élément. Mais quelle était sa place dans cette ville ? Tout ce qu'il avait, c'était un appétit sans limite, la voracité d'une brute.

La musique atteignait des hauteurs qui lui étaient inaccessibles. Il se sentait comme une souris dans une ruche. Les souris, qui elles aussi aiment le miel, se glissent dans la ruche, inconscientes du péril qui les guette. Dès l'entrée, elles sont piquées à mort, assaillies par la force conjuguée des abeilles. Lui se trouvait dans la grande ruche humaine, écoutant le bourdonnement provenant de ses innombrables alvéoles, où était célébré le mystère de l'humanité, tandis que le dard de l'être humain se tenait prêt à paralyser l'importun. Ses yeux luisant d'anxiété, il fit promptement volte-face pour s'écarter de la fenêtre.

« Dan… »

Il vit un arbre et tira d'un coup sec sur ses racines, comme le font les ours quand ils s'énervent. L'arbre en question était un porte-manteau antique en fer forgé en forme d'ange et ses racines n'étaient pas bien profondes, mais le tout constituait néanmoins une arme efficace. Il le fit tournoyer autour de lui, fracassant le tourne-disque et sa musique, ainsi que l'ange de plâtre grandeur nature qui se trouvait derrière. Quand il recommença, son arme se prit dans les rideaux et sa panique augmenta. Il courait maintenant autour de la pièce comme un Bédouin en furie, traînant les rideaux derrière lui.

Eunice comprit aussitôt ce qui se passait. Ses recherches sur les anges lui avaient appris une information saisissante : les démons étaient en bien plus grand nombre, puisqu'ils se reproduisaient sexuellement. À l'époque de Martin Luther, le *Theatrum Diabolorum* estimait leur nombre à 10 000 milliards. Combien étaient-elles aujourd'hui, ces petites raclures ? Et l'une d'elles tenait Dan Flakes par le collier. En s'étant offert aux vibrations supérieures, Flakes avait ouvert la porte aux forces inférieures. Un homme d'une telle bonté était une proie toute désignée pour Ahriman le démoniaque et ses légions.

« Ahriman, arrête tes conneries ! » Eunice s'empara de l'extrémité du rideau et tira. L'ours s'arrêta sur-le-champ, pris à la gorge, ses pattes battant l'air.

« Les diables n'ont rien à faire chez moi, saleté, va ! hurla Eunice. Tu m'entends ? »

Entendant le cri de la *femelle dangereuse*, l'ours se rappela qu'ignorer une telle semonce expose les mâles à finir privés d'un bon bout de fourrure et de peau. Si bien qu'il fit ce que font les ours mâles dans de telles circonstances : il fit mine de regarder ailleurs. Il n'avait jamais eu à se comporter ainsi enveloppé dans un rideau, mais il fallait s'adapter. Se saisissant d'un ange presse-papier, il l'examina avec ostentation.

« Sors de cet homme, diable arrogant ! Par Saint-Michel, laisse-le en paix ! »

L'ours continua à faire comme si examiner un presse-papier drapé dans un rideau était tout ce qu'il y a de plus naturel.

« Retourne dans ta fosse, Ahriman, sale chat de gouttière ! » Heureuse de voir que Flakes se calmait, Eunice se rendit compte à quel point les gens avaient intérêt à en appeler aux anges lors de crises de rage, de dépression, lorsqu'ils broyaient du noir, dans toutes les situations où l'incertitude et la folie prévalaient, attirant Ahriman et ses démons. Elle attrapa son carnet et son stylo.

« Eh bien, au revoir », dit l'ours, en ôtant le rideau. La situation s'était apaisée et personne n'avait appelé le gardien du zoo. Quelque chose l'avait énervé mais c'était terminé à présent. Il se dirigea vers la porte.

Le choc est indescriptible, écrivit Eunice, *quand soudain votre mari devient violent. Est-ce l'homme que j'ai épousé ? Est-ce lui, là, qui arrache les rideaux ?*

L'ours gagna l'ascenseur et appuya sur le bouton. Il ne pensait plus à la terreur qui s'était emparée de lui à peine quelques minutes plus tôt ni au comportement ignoble dont il avait fait preuve. C'était arrivé, mais c'était du passé. Rien d'autre ne compte pour un ours.

Oubliez la psychologie, elle n'aura aucune prise là-dessus. Parce qu'il ne s'agit pas de votre mari. En réalité, c'est un démon. Eunice tenait son nouveau livre – *Les Anges dans vos disputes*.

« C'est génial ! », s'exclama Gadson. Il était assis dans le salon d'Eunice, à ses côtés sur le canapé. Ils venaient de lire ensemble les deux premiers chapitres des *Anges dans vos disputes*, les *Vêpres* de Rachmaninov en musique de fond. « Comment pareille idée vous est-elle venue ?

– Dan Flakes me l'a soufflée. Ça vous plaît, c'est vrai ?

– J'adore. Nous avons besoin d'un livre tel que celui-ci, Eunice. Les chamailleries idiotes et insensées ont fichu en l'air tant de mes relations. Un ange aurait été d'un tel secours au milieu de tout cela. » Gadson porta le regard sur l'ange baroque dans le coin de la pièce, sa moue, ses bras nus et son torse évoquaient à lui fendre le cœur un garçon de salle cubain qui avait récemment partagé sa vie. Ils s'étaient âprement disputés au sujet d'une éponge gorgée de liquide vaisselle, car Gadson préférait laver ses assiettes à grande eau, avec très peu de produit. Dire que j'ai demandé à cette splendide créature de partir à cause d'une éponge. « Oui, c'est un ange dont nous avons besoin, Eunice. Cette tierce personne impartiale vers qui nous tourner. Dan vous a soufflé l'idée, dites-vous ?

– C'est un ange déguisé, répondit Eunice. Sa simplicité. Son innocence.

– Il n'est vraiment pas ordinaire, admit Gadson.

– Mais quand vous lisez son livre – et je l'ai lu maintenant, sans en manquer un mot… » Eunice désigna le manuscrit de *Désir et Destinée* sur la table basse. « … Vous voyez que sous sa façade innocente se cache une très vieille âme. L'évocation de toutes ces vieilles âmes, dont Dan et elle-même faisaient partie, revenues sur terre en ces temps tourmentés, lui arracha un profond soupir. « Nous sommes devenus plutôt proches…

– Proches à quel point ?

– Le lien spirituel qui nous unit est profond.

– Allons donc, Eunice, vous parlez à Tata Elliot. Vous couchez avec lui ?

– Nous sommes au-dessus de ça.

– Personne n'est au-dessus de ça.

– Nous déjeunons ensemble. Nous nous promenons dans le parc. » Elle fit un geste en direction du feuillage d'automne de l'autre côté de la vitre. « Nous parlons à peine. D'une certaine manière, ça n'est pas nécessaire.

– C'est un taiseux, c'est le moins qu'on puisse dire, commenta Gadson. Mais le silence, ça n'est pas votre fort à vous, Eunice.

– Il m'apaise. Et je crois que je l'ai aidé aussi. Savez-vous qu'Ahriman tente de le posséder ?

– Ahriman ?

– Le prince du mal ». Eunice posa la main sur une statue de Saint-Michel, fabriquée en série en Corée. « J'ai fait appel à l'archange pour lui botter les fesses. »

Gadson acquiesça du menton, l'air pensif. En compagnie d'Eunice, il laissait sa raison au repos.

Eunice se pencha vers lui, la statue de Saint-Michel entre ses mains. « Avez-vous entendu Dan parler de pièges et de collets ?

– J'ai toujours trouvé ça étrange.

– Les pièges et les collets posés par le diable, Elliot. Dan se sait harcelé par Ahriman.

– Cela me glace le sang », répondit Elliot d'une voix pleine de compassion, parcourant du regard les ombres ailées sur les murs. Eunice lui semblait avoir fait un bond d'une centaine d'années en arrière, soulevant au passage une nuée d'anges… Des constructions de l'esprit moyenâgeuses, se disait-il, qui s'ébattaient toujours dans les couches les plus profondes de la pensée, étaient aujourd'hui encore capables d'influencer le comportement. Voilà pourquoi ses livres se vendaient si bien.

« Ahriman convoite tout le monde, Elliot.

– Il ne nous aura jamais, ma chérie. » Gadson passa le bras autour de son auteur et serra son épaule. Puis il désigna le nouveau manuscrit. « Vous vous rendez compte, bien sûr, que *Les Anges dans vos disputes* mène tout droit à un *Les Anges au tribunal*?

Eunice applaudit. « Elliot, vous êtes un génie!

– Lorsqu'il intente une action contre son voisin, son employeur, son conjoint, l'État ou un parfait inconnu, le plaideur avisé devrait toujours avoir un ange penché sur son dossier. »

« Depuis mon dernier ouvrage, tout le monde sait que Frost utilisait le comparatif "comme" 0,54 fois par page. » Le professeur Alfred Settlemire de l'université du Maine se trouvait dans la voiture de son collègue du département de lettres, Bernard Wheelock. La route sur laquelle ils roulaient traversait une vaste étendue de forêt destinée à l'exploitation, d'où émergeaient de temps à autre des camions de bois, chargés de troncs d'épicéas. « Cependant, continua Settlemire en caressant son bouc, ce que l'on sait moins, c'est qu'il utilisait "tandis que" 0,07 fois par page. Telle est la substance de mes recherches actuelles. Inutile de préciser bien sûr la portée d'une telle découverte.

– Bien sûr, bien sûr », s'enthousiasma Wheelock, qui avait beaucoup moins d'ancienneté dans le département. Settlemire, lui, avait déjà signé un contrat avec l'un des plus gros éditeurs universitaires du pays pour la publication de ses derniers travaux. Wheelock avait du mal à concevoir que quelqu'un puisse ne pas se foutre royalement du nombre de fois où Frost avait utilisé "tandis que", mais il savait en revanche qu'il lui restait beaucoup à apprendre concernant la réussite.

« La simultanéité temporelle, voyez-vous, continua Settlemire. Crucial pour comprendre Frost. Et c'est là que ces 0,07 fois "tandis que" entrent en jeu. Est-ce que l'on se fait bien comprendre ?

– Absolument. »

Wheelock avait surtout compris qu'après la chute dras-
tique des financements publics, les restrictions budgétaires
leur pendaient au nez. Dans le département, Settlemire, avec
son mètre quatre-vingt plein d'arrogance, son beau visage et
ses "tandis que" faisait partie des meubles. La situation de
Wheelock, à l'inverse, était précaire. Si Bramhall, par contre,
venait à disparaître du tableau…

« Comme j'aurais aimé que Frost fût encore en vie, s'exclama Settlemire. J'aurais adoré lui présenter mes travaux.

– Il aurait apprécié, j'en suis certain.

– On se sent en connexion avec son esprit, quoi qu'il en
soit, dit Settlemire. L'assiduité, peut-être est-ce cela le secret :
appréhender tous les "tandis que".

– Je vous envie cette capacité, remarqua Wheelock, qui
en était toujours à chercher quelque chose à appréhender.

– Vos travaux sont encore en gestation, répondit aimablement Settlemire.

– Je crois que voilà la route qui mène chez Bramhall. »

Ils longèrent sur plusieurs kilomètres le chemin sinueux
et non goudronné avant d'accéder à l'allée de Bramhall. « Je
me demande, fit Wheelock, si ce que nous avons appris sur
sa santé est exact.

– Tout homme qui prend le risque délibéré de plagier
un best-seller s'expose à la fragmentation de son éthique. »
Settlemire eut un sourire arrogant, mais n'ajouta rien. Et
Wheelock en ressentit un étrange mélange d'appréhension
et d'espoir. Le chef du département d'anglais les avait envoyés en reconnaissance. Alors que son année sabbatique
s'était achevée, Bramhall ne répondait plus à aucun courrier de l'université. Les rumeurs allaient bon train, on disait
qu'il avait fait une dépression nerveuse. Il fallait que le chef
du département en ait le cœur net. Une question taraudait

Wheelock : si Bramhall s'en va, vais-je le remplacer ? Même s'il avait toujours apprécié Bramhall, Wheelock caressait l'espoir de le trouver mort ou aliéné.

Ils se garèrent devant le chalet de Bramhall et descendirent. Settlemire frappa un grand coup contre la porte. Pas de réponse. « Dans les champs, peut-être ? » Settlemire ouvrit la marche à travers le verger de pommiers, le long d'un chemin où passaient dans le temps les chariots. « Il a gâché son année sabbatique, je peux au moins vous assurer cela. La dernière fois que j'en ai pris une, j'ai travaillé, Wheelock. J'ai compté les "comme". Une tâche harassante, mais que l'on savait essentielle pour comprendre quoi que ce soit à Frost. De nos jours, bien sûr, c'est l'ordinateur qui s'occupe du comptage. C'est ainsi que Pettingzoo a écrit son *Nombre de "nulle part" chez Wallace Stevens*. Ce que l'on veut dire, néanmoins, c'est ceci : on doit travailler. Au lieu de pondre un plagiat manifeste de *Ne faites pas ça, Monsieur Drummond* ». D'un geste leste et gracieux, Settlemire envoya voler un caillou dans le sous-bois. « La littérature américaine moderne est le domaine de Bramhall. Il aurait pu compter les "comme" chez tout un tas d'auteurs. J'ai ouvert la brèche. La voie est toute tracée. Une nouvelle branche de la pensée critique a vu le jour. Il aurait pu trouver sa place dans ce mouvement. Mais non. Il en a décidé autrement. »

Wheelock pointa le doigt vers la porte de la grange. Bramhall venait d'y faire son apparition, jetant un regard furtif vers l'extérieur. Le cœur de Wheelock fit un bond. Il est paranoïaque. Oh, parfait, parfait…

Ils s'avancèrent vers lui. « Bramhall, comment allez-vous ? » lui cria Settlemire.

Bramhall les dévisageait en silence. Des idées bizarres lui tournoyaient dans le cerveau à une vitesse à faire pâlir d'envie un savant fou. Sous l'effet de quelque incroyable et obscure alchimie, sa perception à ce moment précis incluait la présence d'une marmotte dont les galeries se trouvaient à proximité de l'endroit où Settlemire et Wheelock marchaient. Bramhall sentait le malaise de la marmotte, il avait même l'impression de ressentir ses pensées – de la prudence, de la suspicion – comment savoir si quelqu'un n'allait pas venir fourrer un rat terrier à l'entrée de la galerie ?

Arrivé à hauteur de Bramhall, Settlemire tendit la main. « Ça me fait plaisir de vous voir, vieille branche. On entend dire que vous êtes peut-être souffrant.

– Un ours a volé mon livre. »

Settlemire jeta un regard de côté à Wheelock, du genre de ceux que les personnels d'hôpitaux psychiatriques s'échangent lors de l'admission d'un nouveau messie à leur étage. « Un ours a volé votre livre. Incroyable. On ne savait pas que les ours étaient capables de tels comportements. »

Le cynisme de la remarque n'échappa pas à Bramhall, qui ne s'en offensa pas pour autant. Il était concentré sur sa voisine des sous-sols, la marmotte qui agrandissait nerveusement son refuge, cette issue de secours essentielle à laquelle tout rongeur prudent doit prêter attention. Simple précaution, murmurait la voix indistincte dans la tête de Bramhall, juste un petit travail de rénovation, pour ne pas être prise au dépourvu lorsque le museau hostile du chien fera son apparition.

« Arthur, nous nous faisons tous du souci pour vous », dit Wheelock.

Le nez de Bramhall tressaillit. Wheelock exhalait l'ambition, une odeur grasse et sucrée, comme s'il faisait rôtir un cochon sous sa chemise.

« Le département se demandait si vous aviez des soucis de courrier, dit Settlemire.

– Je n'ouvre plus de courrier.

– Ah. » Wheelock voyait la crasse sur le pantalon de Bramhall. Et des poils semblaient pousser sur son front. Un dérèglement hormonal ?

« Tenez, regardez, Arthur, j'ai apporté une copie de mon *Qualificatifs qualifiés chez Frost*. Ça n'est que le début, mais cela donne la direction. Il reste de quoi faire en la matière. »

Bramhall flaira la fatuité universitaire de Settlemire, l'odeur des mouches mortes se desséchant sur le rebord de la fenêtre d'un grenier.

« On suppose que vous avez cessé de plagier des best-sellers. D'accord, cela ne vous a pas réussi. Un ours vous l'a dérobé, si vous y tenez, comme vous voulez. Nul besoin d'explication. Simplement : tout n'est pas perdu.

– Arthur ne se sent peut-être plus d'attaque pour du travail universitaire, suggéra Wheelock, plein d'espoir. Nous ne devons pas le forcer. »

Bramhall tourna les talons et pénétra dans la douce odeur de paille de la grange. Face à ces émissaires venus d'une autre vie, la robuste charpente de la vieille bâtisse, ses planches brûlées par le soleil, avaient sur lui un effet apaisant.

« Arthur, fit Wheelock d'une voix mielleuse, voulez-vous voir un médecin ? »

Bramhall s'assit sur une vieille botte de paille dans l'un des box à chevaux et fit signe que non. Il enviait la marmotte pour son refuge, cet endroit secret dans lequel disparaître quand des importuns venaient interrompre votre méditation.

« Je vais laisser mon ouvrage ici, sur la paille », annonça Settlemire. Bramhall hocha de nouveau la tête, conscient que son silence signifiait la fin de sa carrière de professeur à l'université du Maine.

« Nous partons, à présent, Arthur. Nous saluerons tout le monde de votre part. Et jetez un œil sur *Qualificatifs qualifiés*. C'est peut-être exactement ce qu'il vous faut. »

Les deux professeurs sortirent et retraversèrent le champ. « À mon avis, il fait une dépression, dit Settlemire. Comme Hamlet, vous savez. Un monde "fastidieux, défraîchi, plat et stérile"*.

– Peut-être, selon moi, quelque chose d'un peu plus sérieux que cela », suggéra Wheelock en posant le regard sur un os blanchi qui gisait dans l'herbe, l'os de quelque créature dont l'errance s'était achevée précisément ici.

Dans la grange, pendant ce temps, Bramhall était toujours sur sa botte de foin, le regard errant sur les planches lisses qui servaient de cloisons aux box. L'une d'elles présentait des motifs creusés sous l'écorce par quelque insecte. Il suivit ces motifs des yeux, comme s'il lisait le travail d'un calligraphe venu d'un autre monde, dont toute la vie se trouvait résumée ici. Les caractères, bien qu'indéchiffrables, avaient plus de poids à ses yeux que le *Qualificatifs Qualifiés* de Settlemire.

Le ronflement de moteur d'une voiture lui parvint du chemin de terre qui menait à la grange. Jetant un œil par la porte, il reconnut la femme à fourrure derrière le volant. Elle s'avança jusqu'au bâtiment, se gara et sortit. Coulant la tête hors de son trou, la marmotte poussa un long sifflement humain. La femme à fourrure se retourna vers elle et sourit, puis regarda de nouveau Bramhall. « J'adore les marmottes. Elles sont les seules à me siffler. »

Elle s'approcha lentement de la grange. Elle avait entendu dire qu'Arthur avait commencé à vivre plus près de la terre, une rumeur qui avait ravivé l'intérêt qu'elle lui portait.

* Traduction empruntée à J-M Desprats, éditions de la Pléiade.

Vêtue d'une grosse chemise de bûcheron et d'un jean, elle tenait un bouquet de fleurs séchées. « Je ramassais des herbes pour l'hiver et je me suis dit que j'allais vous en apporter », fit-elle en entrant. Ses cheveux étaient également ornés de fleurs séchées, et sa voix était aussi douce que les pommes golden qui tomberaient bientôt des branches dans le verger voisin. Quand elle s'assit sur la paille, son jean remonta légèrement, découvrant ses mollets velus. Bramhall les trouva irrésistiblement attirants.

Il était allongé dans le grenier à foin, la femme à fourrure à ses côtés. Elle avait retiré sa chemise, dévoilant des dessous de bras eux aussi bien fournis. Elle n'utilisait pas de déodorant et quand elle leva les bras pour détacher ses cheveux, une odeur excitante enveloppa Bramhall.

S'étant attendue à des préliminaires prudents de la part du timide prof de fac, la femme à fourrure n'en revint pas lorsque Bramhall la retourna brusquement pour la plier en deux vers l'avant.

« Arthur… mon Dieu… » Il envahissait trop vite son espace vital. Il venait même à l'instant de l'envahir complètement.

Les petits oiseaux dans la grange plongeaient et pépiaient, leurs nids de boue et de brindilles secoués entre les poutres. Oh, ces humains si disgracieux, ils sont si lourds, et un nid est une chose si délicate !

Un grognement monta dans la gorge de Bramhall. Il mordit la femme à fourrure à l'épaule et sentit une étrange sensation à l'extrémité de son coccyx, comme si une queue s'y agitait avec vigueur. Puis il vécut le même genre d'orgasme que le héros de son livre, un orgasme qui semblait trouver sa source dans un immense réservoir de plaisir issu des profondeurs de la terre.

Les orteils de la femme à fourrure se contractèrent dans le chaume. Quand la marée de sa propre extase se retira à son tour, elle jeta un œil par-dessus son épaule et vit Bramhall qui la contemplait. « Tu es une force de la nature », murmura-t-elle en caressant son torse étonnamment large.

Les petits oiseaux entraient et sortaient de la grange, bavardant les uns avec les autres. Leurs nids étaient en sécurité à présent, mais en baisant, les humains les avaient fait tanguer.

« Un ours m'a volé mon roman, marmonna Bramhall comme un mantra, les yeux rivés sur le haut plafond de la grange.

– Que veux-tu dire ? »

Bramhall ne répondit pas aussitôt, car les mots ne lui venaient plus si facilement. Mais un fragment de sa vie de professeur de littérature finit par refaire surface. « *Un conte d'hiver* de Shakespeare. Indications scéniques. Acte trois, scène trois. » Il se leva et, sans prendre la peine de remettre son pantalon et sa chemise, gagna la porte de la grange. « Il sort, poursuivi par un ours », dit-il, avant de se diriger vers le sous-bois.

« Arthur ! » s'exclama la femme à fourrure qui, bien qu'étant une fille de la nature, n'était pas prête à errer nue dans les bois, surtout par ce froid. Elle se rhabilla précipitamment. « Attends-moi ! » Quand elle arriva à la lisière de la forêt, Bramhall avait disparu. La femme à fourrure chercha un sentier, mais il n'y en avait pas. C'était comme si elle venait soudain d'être initiée à un mystère effrayant de la forêt. Il avait dit quelque chose à propos d'un ours qui aurait volé son roman, mais qu'est-ce que cela signifiait ? Voulait-il dire que son livre avait été canalisé par l'esprit d'un ours ? Cela expliquait-il ses prouesses sexuelles ? Quel pouvoir secret possédait cet homme ? Et dans quel genre de stage avait-il appris tout cela ?

L'ours flânait dans Greenwich Village, humant l'air automnal revigorant. Une soirée agréable pour une promenade sur deux pattes, songeait-il, on s'habitue aux manières des humains. Casquette de baseball, cravate à clip, chaussures confortables. Qu'est-ce qu'un ours pouvait demander de plus ?

Il commençait à apprécier la foule, les effluves parfumés des gens. Universal Studios avait acheté son livre un million et demi de dollars, et Elliot Gadson l'avait emmené chez son tailleur, où il s'était fait confectionner plusieurs costumes neufs, dont celui qu'il portait ce soir-là, un costume en tweed gris qui lui allait comme un gant. Le tailleur avait exprimé de fortes objections concernant la cravate à clip, mais il était des points sur lesquels on ne pouvait transiger.

Il entra dans le parc de Washington Square. Les joueurs d'échecs étaient à leurs tables, et il s'arrêta pour regarder.

Personne ne sait que je suis un ours. Debout sur mes deux pattes, les mains dans les poches, je suis juste un type velu parmi d'autres en train de flâner. Il poursuivit sa promenade, le cœur léger. Une jeune femme en rollers passa à sa hauteur, balançant vigoureusement les bras. Je devrais m'en offrir une paire, songea-t-il, un ours contemporain en mouvement.

Absorbé dans sa contemplation de la patineuse, il ne vit pas le caniparc avant qu'il soit trop tard. Des chiens jouaient avec des bâtons, se couraient après et tentaient des coïts divers et variés. Un beagle mâle fit le tour d'un arbre à toute allure, oreilles rabattues vers l'arrière, ventre à terre, volant presque. Ce faisant, il aperçut l'ours. Il s'arrêta en dérapant, le dévisagea un instant puis, levant la tête, poussa le hurlement ancestral. Hurlement qui se répandit parmi les jappements et les grondements des autres animaux. Le cri du chasseur. Les autres chiens se joignirent à lui et accoururent jusqu'à la grille, contre laquelle ils se jetèrent en hurlant et en aboyant, le poil dressé, toutes dents dehors.

L'ours se hâta de disparaître, abaissant sa casquette de baseball sur ses yeux, essayant de passer inaperçu, mais quelques pas plus loin, l'angoisse le projeta à quatre pattes.

« Herbe, shit, herbe, shit », scandait une voix au-dessus de lui.

Il se força à se redresser et se retrouva à côté d'un homme aux cheveux emmêlés qui portait un anneau à l'oreille.

« Herbe, shit, crack, répéta l'entrepreneur jamaïcain en se calant sur sa marche. Qu'est-ce qui te ferait plaisir, mon gars ?

– Des chips », répondit l'ours en jetant un regard nerveux dans son dos en direction des chiens.

L'entrepreneur fronça les sourcils. Il n'avait pas de temps à perdre. Tous les jours, en bon Américain, il travaillait dur pour se payer de grosses voitures et de petits téléphones. « J'ai de la sensemilla de Californie, mec.

– Et des bretzels ? »

L'entrepreneur lui jeta un regard noir. L'image était importante, il ne pouvait pas se permettre qu'on se paie sa tête. Plantant un doigt dans la poitrine de l'ours, il dit : « Hé, tu te fous pas de ma gueule, d'accord, mec, ou je te plante un couteau dans les tripes. »

Apeuré, l'ours tourna le regard vers les chiens qui hurlaient toujours et pressa le pas jusqu'à la sortie du parc. Les chiens avaient le pouvoir de le démasquer, de refaire de lui un animal plein de rage et désespéré contraint de se défendre en public, ce qui le mènerait tout droit au zoo. J'ai baissé la garde, se dit-il. Je suis devenu vaniteux. Souviens-toi de ce que t'a dit Bettina, tant qu'ils ne peuvent pas épeler ton nom à Karachi, tu n'es pas une star.

Il poursuivit sa route dans le Village, vers le loft de Gadson à Soho. Il s'était déjà rendu dans ce quartier une fois et les odeurs de ses restaurants et de ses magasins dessinaient une cartographie mentale grâce à laquelle il s'orientait, de la cuisine grecque à la cuisine italienne, puis chinoise. À l'entrée de l'immeuble, il reconnut l'odeur du peeling de la marque Clinique qu'utilisait Gadson. Il sonna et gravit l'escalier, guidé par le son des voix et par un nuage de parfums et d'eaux de Cologne.

« Dan, je suis tellement content que vous ayez pu venir. » Gadson l'attendait sur le pas de la porte et le précéda dans un couloir décoré de posters de clubs gays du tournant du siècle dernier – Little Bucks, l'Artistic Club, le Black Rabbit de Bleecker Street où la Folle Française donnait à l'époque son étonnant spectacle de variétés. Il y avait l'agrandissement d'une page du *New York Herald* de 1892 décrivant les activités auxquelles se livraient les clients d'un night-club de Greenwich Village appelé le Slide, où avaient lieu des « orgies indescriptibles ». L'ours étudia les affiches, frappé par les hommes en tenues de soirée, par leurs cannes et leurs capes. Il allait falloir qu'il demande à Elliot comment se procurer une cape.

Gadson le conduisit jusqu'à la pièce principale du loft, dont l'entrée était ornée de grandes fougères dans des vases longilignes. Des lampes à gaz transformées illuminaient les murs, et le mobilier était victorien. Les invités, presque tous issus des cercles littéraires, avaient déjà eu vent de la sortie prochaine du livre de Dan et de sa vente à Universal. « C'est vrai qu'il ressemble à Hemingway », furent-ils nombreux à remarquer, même si d'autres jugeaient qu'il s'agissait d'une impression de surface et non d'une vraie ressemblance.

Bettina apparut en reine des bourdons, sa petite silhouette fringante moulée dans sa robe noir et or, la fièvre incandescente qui la gouvernait faisant saillir ses yeux. Elle avançait, erratique, à travers la pièce ; elle voulait être partout à la fois. Quand elle pivota à hauteur du buffet, elle fit voler son écharpe à laquelle s'accrocha une chips de maïs, que Chum Boykins retira compulsivement d'une chiquenaude.

Bettina adressa un signe à Eunice Cotton avant d'aller la rejoindre dans un coin de la pièce. *Les Anges au lit* avait à présent dépassé le million d'exemplaires, et Eunice vouait une reconnaissance éternelle à Bettina pour son génie. Bettina lui avait organisé une longue tournée dans les États religieux du sud du pays, et grâce au stripteaseur adorable qui l'accompagnait, les ventes avaient explosé. Bettina l'avait vêtu d'une courte tunique blanche et lui avait demandé de jeter à ces dames des regards pleins d'un amour désintéressé tandis qu'Eunice lisait des extraits de son livre. Pendant la séance d'autographes qui suivait, l'ange aux muscles saillants se montrait aux petits soins pour Eunice, s'affairant autour d'elle, lui murmurant des choses à l'oreille, tout cela orchestré par Bettina afin d'illustrer ce que les anges accomplissaient réellement pour les gens. Les lectures faisaient le plein, et l'ange assurait à présent seul des événements promotionnels dans les centres commerciaux. Gadson lui avait commandé son autobiographie, provisoirement intitulée *Les Ailes ternies*.

« Dan Flakes est là, dit Bettina à Eunice, tout excitée. J'avais craint qu'il ne puisse pas venir.

– Cet homme est un saint, commenta l'écrivaine.

– À ce point, vous croyez ?

– Il est au-dessus du lot, Bettina. Vous m'avez dit vous-même que faire sa propre promotion ne l'intéresse pas. »

Bettina dut admettre que c'était vrai, elle n'en revenait d'ailleurs toujours pas. Elle avait connu des auteurs hermétiques à la politique ou même au sexe, mais jamais elle n'avait rencontré personne que sa promotion laissait indifférent.

Eunice renversa légèrement la tête vers l'arrière et ferma les yeux. « Dès que Dan Flakes apparait, j'entends mon ange.

– Que dit-il ? » s'enquit Bettina avec un réel intérêt.

Elle rêvait d'un ange, désespérément, tout en sachant que jamais elle n'y aurait droit. Elle avait envoyé tant de gens en tournée, faire de la retape pour leurs livres, qu'elle avait l'impression d'être une agence de voyages en ruines. Ses yeux se tournèrent vers la porte. « C'est Zou Zou Sharr qui vient d'arriver. Vous la connaissez ? Elle est agent à Hollywood, une des meilleures.

– Je teignais mes cheveux dans cette nuance de roux moi aussi dans le temps, commenta Eunice. Je teignais les cheveux de beaucoup de gens de cette couleur. »

Bettina traversa la pièce en coup de vent et glissa son bras sous celui de l'ours. « Il y a quelqu'un que je voudrais vous présenter. S'il aime votre travail, ce sera un sacré atout. »

Kenneth Penrod, professeur de lettres à Columbia et auteur du *Déclin de la littérature*, trouva l'ours extraordinairement taciturne et cela lui plut. Son verre à la main, il attendait, tandis que l'ours essayait tant bien que mal de formuler sa pensée, jetant des regards hantés vers le parc de Washington Square, pour finir par articuler, très lentement :

« J'ai entendu le hurlement des chiens. »

La profondeur de sentiments que la voix de l'ours trahissait n'avait rien en commun avec les vaines platitudes que Penrod avait l'habitude d'entendre dans ce genre de sauteries. « Je vois exactement ce que vous voulez dire, répondit-il. Les hommes comme Ramsbotham, là-bas, corrompent totalement nos valeurs littéraires. » Il désignait l'autre éminent critique, Samuel Ramsbotham, de New York University, dont le livre, *La Révolution littéraire*, s'était deux fois mieux vendu que celui de Penrod. « Les chiens ? Vous avez absolument raison. Ils hurlent à notre porte. »

L'ours détourna vivement le regard vers la porte du loft, faisant saillir l'arête des muscles de son cou. « Je déteste les chiens.

– Il y en a toujours un ou deux qui se montrent, la plupart du temps avec un entourage de flagorneurs. » Penrod jeta un autre regard lourd de dédain vers Ramsbotham.

Les muscles du cou de l'ours frémirent. « Je les mettrai en miettes.

– J'espère bien ! » Penrod était impressionné. Cet homme, Dan Flakes, vivait ses convictions. Tellement rare. Tellement, tellement rare. « J'ai hâte de lire votre roman, bien sûr. Bettina et Elliot m'en ont déjà dit énormément de bien. »

L'ours acquiesça du menton, le regard irrépressiblement attiré vers la porte, puis vers la fenêtre. Son indifférence à parler de son propre livre impressionna Penrod encore davantage. Il n'est pas dévoré par l'ambition, se dit le critique. Il est inquiet, tout comme moi, de la crise que traverse la littérature. « Je crois que vous tirerez quelque chose de mon *Déclin*, dit Penrod. Je vais demander à l'éditeur de vous en faire parvenir un exemplaire. C'est un travail novateur, bien sûr, mais il est des points sur lesquels vous serez d'accord.

– Alors, comment vous vous entendez, vous deux ? demanda Bettina qui, tourbillonnante, renversa du champagne dans la poche de la veste de Penrod, noyant la montre gousset héritée de ses ancêtres.

– Mon Dieu, Ken, je suis navrée, s'exclama-t-elle tout en essayant de réparer les dégâts en épongeant le liquide à l'aide de son écharpe.

– Ce n'est rien, Bettina, répondit Penrod. Cela fait des années que vous me renversez des choses dessus. Je le vois comme une sorte de rituel. »

L'ours gagna la fenêtre du loft et jeta des regards inquiets vers Washington Square, qu'il ne pourrait plus jamais traverser. « Les chiens, marmonna-t-il à part lui.

– Qu'est-ce qu'il y a avec les chiens ? » demanda Gadson qui vint se mettre à côté de lui.

L'ours essaya d'en dire plus, mais sans parvenir à exprimer les nuances d'une hostilité immémoriale. « Parler est difficile.

– Je sais, fit Gadson. Je n'ai pas prononcé un seul mot avant l'âge de trois ans. J'avais les mots dans ma tête, mais je me méfiais de mon auditoire. »

S'écartant de la foule, ils longèrent un pan de mur couvert de livres : la collection de premiers tirages de Gadson. « Les livres ont toujours été mes meilleurs amis. Comme c'est le cas pour vous, j'en suis certain, remarqua Gadson. Vous avez été élevé dans une zone rurale et vous n'avez sans doute pas côtoyé beaucoup de gens.

– J'ai vu un homme à travers une vitre. »

Gadson était perplexe. « Et avez-vous pu faire sa connaissance ?

– J'ai traîné dans les parages », répondit l'ours, essayant d'exprimer le souvenir qu'il avait gardé du moment, parce que c'était ce que faisaient les humains, ils parlaient de choses qui leur étaient arrivées. Pour un ours, le passé n'a aucune importance, mais il voulait devenir humain, alors il tenta de le décrire. « Il avait quelque chose que je voulais. »

Gadson se posait la question : l'étrange timidité de Dan Flakes était-elle simplement due à son incapacité à faire son coming out ? Il attira Flakes vers l'extrémité de la pièce, près d'un paravent peint placé devant la porte principale ; sur le paravent étaient représentés deux marins japonais et l'ombre d'un autre homme, face à la mer.

« Je voulais sa viande, dit l'ours. Il la laissait traîner sous mes yeux.

– Vous vouliez… sa viande ?

– C'était plus fort que moi.

– Et ?

– Je m'en suis emparé. »

Gadson imagina soudain la scène dans son ensemble, un chaud après-midi d'été et l'inconnu, nu de la taille jusqu'aux pieds, peut-être en train de brasser de la paille, ses muscles puissants. Une scène idyllique.

« La viande, répéta l'ours, alors que le souvenir du quartier de chevreuil avec lequel il s'était enfui lui revenait plus clairement en mémoire. De la jeune viande, délicieuse.

– Dan, quelle franchise ! »

L'ours sortit sa longue langue et se pourlécha le museau. « Délicieux !

– Dan, cher ami, si jamais vous aviez un jour envie d'un autre… quartier de viande… »

L'ours était content de voir avec quel sérieux son éditeur traitait le sujet de la viande. Il posa la patte sur l'épaule d'Elliot. « Vous comprenez.

– Oh, Dan, je comprends, oui. Je vous comprends complètement. »

Cette intimité inattendue avec Flakes réchauffa le cœur de Gadson. Ils avaient pris un risque en s'engageant sur ce terrain et avaient trouvé un nouvel équilibre. « Mais avez-vous l'intention d'en parler dans un livre ? Parce qu'avec votre sensibilité, ce pourrait être magnifique. Ce pourrait être votre prochain livre.

– Le prochain livre… » L'ours fronça les sourcils.

« Ne forcez rien, Dan. Ça viendra tout seul.

– Je ne le trouve pas.

– Il pourrait commencer par le moment où vous avez vu cet homme à travers la vitre. Nous avons besoin d'un livre tel que celui-ci, Dan. Imaginez juste ce que cela aurait donné si Hemingway nous avait raconté honnêtement sa vie sexuelle. »

Zou Zou Sharr apparut, s'avançant vers eux d'un pas hésitant. Il y avait dans cette pièce d'autres gens à qui aller faire la conversation, mais elle n'avait qu'une envie : être avec Dan. Comme Gadson tendait la main vers elle, elle les rejoignit sous un abat-jour en forme d'étoile, qui répandait sa lumière sur sa coiffure de femme d'affaires. « Elliot, comment allez-vous ? » demanda-t-elle, mais sans quitter Dan Flakes des yeux, cherchant un signe de son affection.

L'ours renifla la femelle. C'était celle avec qui il s'était accouplé, ce qui voulait dire qu'elle était son agent à Hollywood, celle qui avait vendu son livre pour un million et demi de dollars. Il sentait l'odeur de son désir. De la bonne qualité, se dit-il. Léger. Exquis. Indirect. Pas l'odeur lourde et puissante que dégageaient les ourses, lesquelles laissaient leurs effluves flotter en nuages denses au-dessus des sentiers forestiers. Cela le choqua de se souvenir qu'au contact de cette odeur grossière, son cœur s'emballait ; il lui suffisait d'une seule bouffée pour qu'il se mette à chercher désespérément la source de l'odeur, prêt à régler son compte à n'importe quel autre mâle qui aurait aussi été sur ses traces. Les femelles humaines répandaient leur odeur de rut avec tellement plus de subtilité, la masquant sous d'autres parfums pour la rendre plus difficile à identifier. Puis la couvrant de petites culottes à fanfreluches. C'était ça, l'évolution. Les ourses en étaient encore si loin qu'elles ne porteraient probablement jamais de petites culottes à fanfreluches.

« Je vais devoir vous abandonner quelques instants, annonça Gadson en jetant un regard vers des invités qui venaient d'arriver.

– Dan, tu m'as tellement manqué », glissa Zou Zou à peine Gadson disparu. Elle se colla contre Dan. La puissance incroyable de ses ébats, se dit-elle, m'a fait traverser le continent. Ça et plusieurs contrats que j'ai besoin de conclure pour assurer ma retraite, il ne faut pas que j'oublie les contrats, je devrais être en train de m'activer dans la pièce, mais mon Dieu, je ne parviens pas à m'éloigner de cet homme.

L'ours avait le dos fatigué. Il rêvait d'être chez lui à regarder des dessins animés. Il allait poliment dire au revoir, à présent, et se retirer.

« Eh bien, dit-il, au revoir.

– Dan, tu ne peux pas dire ça, je t'en prie.

– Je ne peux pas ?

– Non. »

Perdu, il essaya une autre des manières de prendre congé qu'il avait apprises.

« Et… dans ton cul ? »

Un instant prise au dépourvu par sa suggestion, Zou Zou lui pressa soudain la patte. « Si c'est ce que tu veux, chéri. »

Tournant les talons, l'ours s'éloigna, escorté par Zou Zou.

« On s'en va ? demanda-t-elle. Tout de suite ?

– Ah ça oui », répondit l'ours. Il se dirigea vers la porte du loft, un mouvement qui n'échappa ni à Gadson ni à Bettina.

« Eh bien, commenta Gadson, elle m'a devancé.

– Vous n'auriez eu aucune chance, Elliot, dit Bettina. Il n'est pas *comme ça*.

– Tous les grands amateurs de sport sont un petit peu *comme ça*, ma chère.

– Penrod l'apprécie.

– Eh bien, Penrod est *clairement* comme ça. » Gadson pressa le pas pour aller dire au revoir à son auteur, qu'il rattrapa dans le couloir. « Bonne fin de soirée, Dan, déjeunons ensemble cette semaine.

– Bien sûr », répondit l'ours, qui aimait la manière dont les humains prévoyaient à l'avance de manger ensemble, avec la certitude qu'un repas serait à leur disposition à leur arrivée. Il descendit l'escalier en songeant à cela, au fait que les humains avaient de la nourriture à disposition en permanence, qui les attendait. Ça n'était pas comme ça chez les ours.

« Le froid est tonifiant ce soir, remarqua Zou Zou. On peut marcher un peu ? »

L'ours huma l'air à la recherche d'effluves canins, mais il n'y avait pas de chien dans les environs. Des crottes, en revanche, il n'en manquait pas. Des crottes, il y en avait partout dans Manhattan. En ville, la crotte de chien était l'odeur dominante. Par leur merde, les chiens revendiquaient une très vaste portion du monde des humains. L'ours comprenait que pour en informer ces derniers, cela était nécessaire, mais les chiens allaient trop loin.

Zou Zou lui jetait des regards en coin tandis qu'ils marchaient, son cœur attendant toujours un vrai signe de sa part. « C'était trop long, dit-elle pour essayer de le pousser à réagir un peu. Et trop loin. Je me réveillais la nuit, atterrée par la distance physique qu'il y avait entre nous. »

L'ours hocha la tête en signe d'acquiescement, ne comprenant que vaguement ce qu'elle voulait dire et n'y accordant qu'un intérêt plus vague encore. Les événements n'avaient d'importance qu'au moment où il les vivait. Dès qu'il y avait un peu de distance, les choses manquaient de réalité. Ce qu'il y avait de réel, à cet instant précis, c'était sa faim. Il n'aurait pas dû quitter la soirée avant de s'être complètement rempli la panse ; à présent, il allait devoir s'arrêter quelque part, et dans le coin, il n'y avait aucun restaurant. Peut-être qu'il pourrait attraper un rat. Ou même une poignée de fourmis, à l'agréable goût vinaigré.

« Je sais que nous avons tous notre travail, ajouta Zou Zou, mais en ce moment, j'accomplis tout mécaniquement au bureau. Car la seule chose que j'ai en tête, c'est toi. Je me dévoile trop ? Mais pourquoi cacher ce que je ressens ? Nous n'avons pas le temps pour ça. »

De nouveau, l'ours ne comprenait rien à ce qu'elle racontait. Il se disait que des chips auraient été largement mieux que des fourmis, mais qu'il pourrait se contenter de fourmis.

Zou Zou eut la sensation soudaine que, peut-être, en effet, elle était allée trop loin. Elle ne voulait pas l'effrayer en se cramponnant à lui. Et voilà, songea-t-elle, une relation dans laquelle je suis une fois de plus complètement paumée. « Je ne veux pas dire que j'attends quoi que ce soit de ta part, Dan. Tu es un catalyseur, c'est certain, mais tout ça se résume en réalité à la façon dont je me sens moi, dans ma peau à moi. Tu m'as donné une nouvelle direction. Je ne parle pas que de sexe, même si bien sûr ça m'a ouvert les yeux sur ce plan-là aussi. Mais j'ai commencé à faire miennes certaines de tes valeurs et elles me conviennent très bien. Ton mépris des convenances sociales, par exemple, et ta manière de vivre dans l'instant. Pourquoi me priver de t'imiter là-dessus ?

– Un bretzel ! s'exclama l'ours avec l'élan d'enthousiasme dont elle aurait souhaité qu'il fasse preuve devant l'honnêteté de ses confidences. Il pointait le doigt avec excitation vers le chariot d'un vendeur de rue devant eux, ce qui la blessa et la mit en colère, jusqu'à ce qu'elle remarque la lueur dans son regard et comprenne qu'il lui montrait, une fois encore, comment être ce qu'elle voulait être : libre et spontanée. « D'accord, dit-elle avec un sourire, va pour un bretzel ! »

Il leur paya un bretzel à chacun puis ils poursuivirent leur chemin, Zou Zou glissant son bras sous le sien. « Cette façon que tu as de mettre à mal les attitudes pompeuses, Dan, j'en ai besoin.

– Un bon bretzel.

– Oui, c'est vrai, très vrai, dit-elle en le glissant dans son sac, mais je crois que je vais le garder pour plus tard.

– J'aime le sel.

– La saveur de la vie, commenta Zou Zou. Je comprends, Dan, je comprends vraiment. »

Sur leur chemin, l'ours jetait un œil au pied de chaque arbre, à la recherche de mallettes contenant des manuscrits.

« Tu m'as l'air pensif », fit remarquer Zou Zou en voyant son regard bas. Elle était certaine, à présent, qu'il était perturbé par le fait qu'elle lui avait ouvert son cœur. Faisait-il lui aussi partie de ces hommes incapables de s'engager ? « Je ne veux pas que tu te sentes piégé.

– Piégé ? » L'ours la considéra d'un air affolé avant de tourner brusquement la tête vers l'obscurité. « Il y a des pièges ?

– Dan, il y a toujours des pièges.

– Où sont-ils ? » Il huma l'air, essayant d'y détecter l'odeur de la viande et du métal.

« Ne t'en fais pas. Je ne t'en ai tendu aucun.

– Mais quelqu'un d'autre l'a peut-être fait. » Il tournait lentement la tête d'un côté à l'autre, balayant l'air de ses narines.

« Que veux-tu dire ? lui demanda Zou Zou aussitôt. Tu vois quelqu'un d'autre ? » Elle savait qu'il déjeunait avec Eunice Cotton, des déjeuners soi-disant purement amicaux. Mais pouvait-on faire confiance à cette garce fourgueuse d'anges pour ne pas convoiter une aussi belle prise ? « Dan, je crois que j'ai le droit de savoir ? Qui d'autre fréquentes-tu ?

– Eh bien, dit-il, je fréquente Elliot.

– Ah bon ? » Elle eut peur et fut transpercée d'une vive douleur. Elle connaissait le côté bestial de Dan sous les draps, mais n'avait jamais songé qu'il pût être bisexuel. « Et tu prends des… précautions ?

– Des précautions ? Qu'est-ce que c'est ? »

Ai-je pris un risque ? se demanda Zou Zou, tout en espérant qu'Elliot ait quant à lui assez de bon sens pour faire attention. Mais bien sûr, c'était évident, forcément, même si les hommes peuvent se montrer follement imprudents quand ils sont excités. « Est-ce que tu… aimes ça avec Elliot ?

– On s'entend plutôt bien.

– Qu'est-ce que vous faites ?

– Les trucs habituels. »

« Les trucs habituels », répéta Zou Zou à part elle, abasourdie de se trouver prise dans un tel triangle. Quelle naïve je fais, se dit-elle. Cette première nuit au Plaza, où il était si réticent – je comprends mieux maintenant. « Dan, on peut en parler. Quelle est ta véritable orientation sexuelle ? Les hommes ou les femmes ?

« Les bretzels ». L'ours jeta un regard par-dessus son épaule. Une forte odeur de transpiration équine parvenait jusqu'à ses narines ; il avisa un policier à cheval, qui tournait le coin de la rue dans sa direction.

Les gants du policier étaient d'une propreté impeccable ; ses bottes rutilaient, il montait son cheval avec machisme, et son cheval était un cheval macho. Il aimait chier en plein carrefour, au vu et au su de tout le monde, avant de repartir d'un pas altier. Il trottait fièrement à cet instant, après avoir lâché un tas de crottin splendide devant une grande galerie d'art, le tout assaisonné d'un pet. Le cheval et son cavalier gratifièrent l'ours d'un regard chargé de mépris. Qu'est-ce que ce gros lard fiche avec cette belle petite pépée ? se demanda l'agent de la police montée. Viens par ici, ma jolie, je vais te donner quelque chose à chevaucher.

Lui et moi, tous les deux, renchérit son cheval macho. Mais un effluve des plus déconcertants parvint alors aux naseaux du cheval. *Je sens bien ce que je sens ?* se demanda-t-il, puis il se figea. D'un coup de talon à la John Wayne, le policier intima à sa monture d'avancer, alors que celle-ci humait l'air à nouveau. Elle avait appris à garder son calme dans les foules, à ne pas réagir aux coups de feu ni aux jets des lances à incendie, mais nulle part le manuel de dressage de la police montée de New York n'évoquait un Ours dans La Rue. Le cerveau du cheval se trouvait bombardé de vieilles images de ses congénères dévorés par les ours qui – petite touche finale issue de l'inconscient collectif des chevaux – roulaient ensuite en boule le cuir évidé de leurs proies pour marquer leur territoire. Dans un hennissement, le cheval rua, en proie à des visions de ses tripes arrachées. Le policier s'agrippait aux rênes, tandis que le cheval donnait des ruades, battant l'air de ses sabots, terrorisé. Le policier décolla de la selle et ses bottes viriles perdirent leurs virils étriers. *Non, ce n'est pas possible*, se dit-il en se sentant glisser vers l'arrière puis, quand le cheval rua de nouveau, descendre le long de son arrière-train, s'agrippant à sa queue au passage. L'homme tomba lourdement sur le bitume de Spring Street avant de se redresser tant bien que mal aussitôt, essayant de prétendre qu'il avait volontairement sauté de selle par l'arrière, qu'il s'agissait d'un désarçonnement d'opérette, mais il avait le casque sur les yeux et son cheval fuyait au galop.

« Pauvre homme, commenta Zou Zou.

– Par ici, fit l'ours en l'entraînant dans la direction opposée.

– Mais il s'est peut-être fait mal.

– Par ici, répéta l'ours que l'agent de la police montée dévisageait d'un air furieux.

– Dan, qu'y a-t-il ? demanda Zou Zou d'une voix douce.

– Le zoo, répondit l'ours.

– C'est vrai, c'est un zoo par ici, mais tu n'as rien à cacher à la police. Si ? » Maintenant qu'elle savait qu'il aimait autant les hommes que les femmes, elle se demandait s'il ne dissimulait pas des choses encore plus louches.

L'ours les entraîna d'un bon pas sur plusieurs rues jusqu'à ce qu'il perçoive une odeur tout à fait nouvelle, une odeur d'huile de sésame, d'encens et de céréales stockées en quantité. Une cabine téléphonique en forme de pagode apparut devant eux. Ils se trouvaient dans un quartier qu'il n'avait jamais exploré. Il était ravi de l'apparition de ruelles sinueuses, dont les ombres et les méandres lui évoquaient la forêt. Les odeurs continuaient à le fasciner, des odeurs de poisson frais et de canard au sang, et les lourdes odeurs de fumées des restaurants. Zou Zou sentit son humeur changer elle aussi tandis qu'ils se promenaient à travers le capharnaüm qu'était Chinatown. Il marche à voile et à vapeur, se dit-elle, et alors ? J'aime la vie quand je suis avec lui. J'ai un bretzel dans mon sac. Je me lâche.

Ils passaient d'une vitrine à l'autre, examinant les mondes minuscules qui s'y trouvaient exposés, singes de jade et fleurs en papier, lanternes en soie rouge et monnaie ancienne. Puis l'ours se figea. Ils contemplaient la vitrine d'une pharmacie chinoise, les coffrets pleins de racines noueuses et de baies séchées. À côté des coffrets, des bouteilles étaient alignées, avec sur chacune le portrait d'un ours. Dan plissa les yeux, lisant lentement les inscriptions : « Vessie… d'ours ? » Il eut un mouvement de recul horrifié.

« Dan ! » Zou Zou dut se lancer à sa suite à travers les ruelles sinueuses.

Vessie d'ours, se disait l'ours qui courait comme un dératé, agitant ses membres de manière incontrôlée. Pas bon. Pas bon du tout.

Sans ralentir, il jetait des regards à droite et à gauche vers les humains qui se tenaient dans l'encadrement des portes. Il pouvait entendre leurs pensées : *vous attendre voir ours passer, vous trancher vessie lui, vous moudre vessie et faire cachets avec. Vous prendre deux toutes les heures.*

Il émergea en courant de la petite ruelle, se retrouva sur le Bowery, et héla un taxi. Un homme passa à sa hauteur. *Vous connaître un ours ? Vous l'amener ? Nous mettre vessie en bouteille.*

Pas la mienne, oh ça non ! Pas la vessie de Dan Flakes !

L'ours allait rugir pour attirer l'attention d'un taxi, puis se retint, réalisant qu'il rugissait comme un ours. Calme-toi, articule lentement. « Tax-iii », lança-t-il de sa voix la plus distinguée, à l'instant où Zou Zou le rattrapait.

« Dan, où allons-nous ?

– Tax-iii, répéta-t-il, déterminé à fuir le quartier sans attendre.

– Quelque chose dans cette vitrine t'a contrarié. C'était quoi ? »

Un taxi s'arrêta devant eux et l'ours s'engouffra à l'intérieur. Zou Zou le suivit. Il jetait des regards pleins d'appréhension par la lunette arrière.

Mon Dieu, s'inquiéta Zou Zou, va-t-il craquer comme Hemingway ? Ou est-il sous l'influence d'une drogue bizarre ? Et si c'est le cas, pourquoi ne m'en propose-t-il pas ?

De la vessie d'ours, se disait l'ours. Voilà le vrai monde des humains. Ils ont l'air civilisés, ils portent des culottes à fanfreluches, mais quand l'envie leur prend, ils vous mettent en bouteille.

« Dan, tu sais ce que je me dis ? fit Zou Zou. Qu'on devrait aller danser. Tu as besoin de t'oublier un peu. » Elle donna au chauffeur l'adresse d'un club de Midtown et le taxi fonça dans la circulation.

L'ours balançait lentement la tête d'avant en arrière, essayant de chasser ses peurs animales. Il avait pris d'énormes risques pour voir son livre publié, hors de question de flancher maintenant. Mais il se trouvait en proie à une nouvelle crise d'identité, n'ayant plus rien à quoi se raccrocher, ni dans le monde animal ni dans le monde des humains. Plus rien sinon… cette femme avec ses belles jambes. Il aimait les jambes sans poils. Il aimait les jambes douces et rasées de près. N'était-ce pas un signe de son humanité grandissante ?

« Dan, comme c'est gentil… mais pas à l'arrière d'un taxi… » Elle repoussa sa patte qui remontait sous sa jupe. L'ours tenta de nouveau, laissant courir sa patte le long de la douce chair réconfortante de sa jambe.

« Dan, s'il te plaît, ne te comporte pas comme un animal. »

Il recula. « Je ne suis pas un animal !

– Non, bien sûr que non. » Voyant qu'elle l'avait blessé, elle essaya de réparer les dégâts, en pressant doucement sa jambe contre la sienne. « J'apprécie tes égards mais… » Elle désigna le chauffeur du menton à travers la grille de protection. « Remettons ça à plus tard. »

L'ours ne comprenait pas ce que le chauffeur avait à voir là-dedans. Tout ce qu'il savait, c'était qu'il était en train de perdre la boule, et il essaya de se reprendre. Je suis dans un taxi à Manhattan. Combien d'ours peuvent en dire autant ?

« Dan, chéri, s'il te plaît, ne te vexe pas. » Zou Zou craignait d'avoir tué dans l'œuf un élan sentimental, l'élan d'un grand auteur qui se trouvait également être l'amant le plus incroyable qu'elle ait jamais eu. « Je me suis comportée comme une idiote. Tiens… » Elle lui prit la patte et la posa sur sa cuisse, sur la bordure de dentelle de ses bas. « Mais enfile ça, c'est juste une précaution. » Elle se mit à califourchon sur l'ours, jupe au-dessus des cuisses.

L'ours paniquait toujours, mais les caresses de Zou Zou dissipèrent lentement ses craintes de n'être personne. S'il n'était personne, Zou Zou ne serait pas en train de l'envelopper de ses jambes comme elle le faisait. S'accoupler avec une femelle humaine donnait sans conteste le sentiment d'être quelqu'un. Peut-être était-ce pour cela que les humains le faisaient autant. « Je suis quelqu'un, dit-il.

– Oui, Dan, oui, tu es quelqu'un. Et moi, je suis un agent. C'est si difficile parfois. Je pense toujours aux contrats. J'oublie les pulsations de la vie. Oh… oh… oh mon Dieu, je ne peux pas croire que… qu'on fait ça dans un taxi… »

Un rugissement de plaisir jaillit de la gorge de l'ours. Zou

Zou rebondissait au-dessus de lui, emportée par la passion et les irrégularités du bitume. « Dan… tu es grandiose… » Elle l'aimait. Voilà. Elle l'avait admis. Elle accéléra le mouvement, ses jalousies et son désarroi quant à ce qu'il était se dissolvant dans la chaleur qui envahissait son corps comme lorsque vous vient une riche idée. Elle eut un dernier hoquet et se cogna au plafond du taxi, avant de s'effondrer sur l'épaule de l'ours. Jamais de ma vie je n'ai connu ça, se dit-elle. Jamais rien qui ne s'en approche.

L'ours ferma les yeux, en paix avec lui-même, sa dissociation terminée. Il venait de franchir une étape cruciale dans son cheminement vers l'humanité. Il s'était accouplé plus d'une fois dans l'année.

« Dan… je me sens totalement… ce que j'essaie de dire… c'est que je suis… absolument… *comblée*. » Un feu croisé de mémos concernant des dossiers lui assaillait l'esprit, tous assortis de montants faramineux. « Tu m'as emportée hors de moi-même », lui expliqua-t-elle en rajustant lentement ses sous-vêtements et en remettant en place une mèche de ses longs cheveux auburn. Elle voulait juste demeurer dans ses bras, mais ils approchaient de leur destination. Voyant qu'il se débattait avec sa braguette, elle la lui remonta. « Tu es prodigieux.

– Je suis quelqu'un », répondit l'ours.

Le taxi les déposa devant un petit night-club latino. Zou Zou rajusta sa jupe sur le trottoir, à côté de l'ours. Quand elle fut satisfaite de son apparence, elle l'entraîna dans la boîte de nuit. Elle y était venue pour la soirée de lancement d'un film de danse que son agence avait géré, et le propriétaire leur attribua ostensiblement la table de la maison soi-disant la meilleure, qui en réalité ne l'était pas, avant de gratifier Zou Zou d'un galant baisemain.

L'ours contemplait les danseurs, fasciné. Des couples passaient devant ses yeux comme s'ils glissaient, leurs corps s'entremêlant puis se séparant avec la sensualité d'un été dans la forêt, les mâles agressifs et les femelles aguicheuses, emportés par les rythmes de la musique.

Zou Zou le traîna sur la piste, dans le son latino du bigband. Elle connaissait les pas, savait mener la danse, et l'ours fut entraîné dans ses mouvements. Ses pas à lui furent d'abord hésitants, mais le don immémorial de l'ours pour la danse refit surface. Il reconnut dans la musique le beat le plus lent et se cala dessus, entraînant Zou Zou avec lui. Il exécutait de petits pas, savamment mesurés. Son énorme carcasse ronde comme une barrique dégageait une étrange majesté, si bien que tout d'un coup, réalisant qu'il avait « le truc », les musiciens le suivirent. Les autres danseurs ne tardèrent pas à comprendre qu'il y avait sur la piste un talent hors normes, doté d'un style majestueux, et pourtant facile, presque nonchalant.

« Dan, je n'avais aucune idée… » Jamais Zou Zou n'avait eu un cavalier d'une si élégante sobriété. Il se mouvait avec une incroyable classe, sa lenteur gracieuse répandait ses ondes sur les autres danseurs qui l'observaient d'un air appréciateur. Ses pirouettes agiles, exécutées par quelqu'un d'une telle corpulence, étaient terriblement sexy. Zou Zou remarqua les regards des autres femmes sur lui. Nul besoin pour lui de se donner des airs ou une attitude ; son autorité s'imposait tout en discrétion et n'en était que plus forte. Les étés précédents, il foulait le sol de la forêt en se pavanant, son rugissement faisant trembler les arbres. Étrangement, cela se sentait dans les mouvements qu'il exécutait maintenant, au trille des trompettes et au battement des tambours. L'un des autres danseurs glissa à sa partenaire qu'il reconnaissait ce type, qu'il s'agissait d'un maître du tango argentin amateur de bonne chère ; un de ces géants qui savaient vivre. Et ces danseurs new-yorkais, qui avaient comme partout ailleurs l'esprit de compétition, lui accordèrent le plus grand des honneurs : ils lui firent de la place sur la piste, afin qu'il puisse briller.

Quand le morceau s'acheva, l'ours et Zou Zou se frayèrent un chemin jusqu'à leur table, sous une avalanche de compliments qui ne laissaient planer aucun doute quant à l'estime qu'on portait à l'ours. Zou Zou, parce qu'elle était sa partenaire, eut également droit à des commentaires, ce qui ne lui était jamais arrivé sur une piste de danse. À chaque instant, Dan Flakes représentait plus pour elle. Leur aventure d'un soir avait pris une dimension qu'elle n'avait pas anticipée. Elle comprit soudain qu'il allait lui briser le cœur et elle sut même comment : par cette réserve dont il ne se défaisait pas, dont elle comprenait à présent qu'elle se nourrissait d'une immense dignité. Tout cela faisait de lui l'écrivain qu'il était, et elle comprit dans un sursaut qu'à l'instant, sur la piste de danse, elle venait de découvrir son immense capacité à s'extérioriser. Son apparition sur la scène littéraire n'avait rien d'un accident ; c'était un écrivain-né, tout comme Hemingway. Et comme Hemingway, il ne pouvait que devenir célèbre. Mais cette notoriété à venir ne ferait que l'éloigner d'elle, et, ironie du sort, elle allait contribuer à la créer.

Arthur Bramhall était assis en compagnie de Vinal Pinette et Gus Gummersong dans la cabane de Gummersong.
Allongé dans la cour, le chien de Pinette observait une mésange qui picorait des graines dans la mangeoire à oiseaux.
Le bruit d'une tronçonneuse leur parvenait depuis l'autre
bout du champ gelé, gémissant comme un gros insecte métallique. Bramhall, comme le chien, contemplait l'oiseau, et
comme le chien, il fut traversé par l'image fugace du volatile
dans sa bouche et de ses os minuscules craquant sous ses
dents.

« Quelque chose de très étrange est en train de m'arriver,
confia-t-il à Gummersong et Pinette.

– Ce qu'il vous faut, dit Gummersong, c'est une femme à
la maison. Rien de tel qu'une femme pour changer la façon
dont un homme voit les choses. »

Le bruit de la tronçonneuse cessa. À part le pépiement
de la mésange, tout était silencieux.

« Mais regardez mes bras, insista Bramhall. Ils sont
énormes.

– Ils ont un peu forci », reconnut Pinette.

Bramhall posa la main autour d'un tisonnier en fer forgé.
« J'ai l'impression que je serais capable de le tordre au-dessus de ma tête.

– J'aime autant pas », objecta poliment Gummersong.

Bramhall percevait le trottinement d'une souris sous le
plancher et les ondulations régulières du serpent qui la tra-

quait. La souris croqua délicatement dans une graine. Le serpent croqua adroitement la souris.

« On dirait qu'Homer a fini sa découpe, remarqua Pinette en posant le regard sur la silhouette au fond du champ qui s'avançait vers la cabane d'un pas tranquille.

Homer coula bientôt un regard dans l'encadrement de la porte.

« Vinal, tu pourrais pas par hasard m'déposer en ville ? demanda-t-il nonchalamment.

– Bien sûr Homer. Où que tu vas ?

– Je me disais que j'allais peut-être passer à l'hosto », répondit-il en tirant un mouchoir de sa poche. À l'intérieur reposait un orteil. « La tronçonneuse m'est passée à travers la botte.

– Et la plaie, tu l'as bouchée comment ? demanda Gummersong.

– Résine et aiguilles de pin.

– Y a rien de mieux, approuva Gummersong. De mon temps, j'ai vu pas mal de sales mutilations et les aiguilles de pin et la résine, c'est de ça qu'on se servait toujours.

– Je voulais m'acheter des bottes coquées, précisa Homer d'un ton bonhomme tandis qu'ils traversaient la cour pour rejoindre le pick-up. Mais y a toujours d'aut' trucs à s'occuper si bien que du coup, je l'ai jamais fait.

– Ça paye pas de se précipiter quand on veut acheter quelque chose », fit Gummersong.

Ils montèrent à bord du pick-up, Homer et Bramhall à l'avant avec Pinette, Gummersong sur le plateau avec le chien. Tandis que le pick-up avançait cahin-caha sur le chemin de terre, Homer déposa son précieux paquet à ses pieds avant de se tourner vers Pinette. « Comment que ça va pour toi, Vinal ?

– J'ai pas à me plaindre, répondit Pinette. Et toi ?

– Oh, plutôt bien », dit Homer, sans faire cas de l'amputation récente de son gros orteil. En écoutant parler les deux hommes, Bramhall sentit quelque chose en lui qui faisait écho à leur stoïcisme. Une impression toute nouvelle, qui semblait découler de cette animalité qui l'habitait, l'acceptation de l'existence qui est propre aux bêtes.

Le moteur du pick-up ronflait sur les routes de campagne sinueuses. Sur leur gauche, une rivière les accompagnait, scintillante. Homer scruta l'extrémité de sa botte. « On dirait ben que ça saigne plus.

– Résine et aiguilles de pin, fit Pinette avec un hochement de tête approbateur. Un jour j'ai blessé un ours et ce saligaud a bouché sa plaie avec des aiguilles de pin. Jamais je l'ai attrapé.

– Ils sont futés les ours, acquiesça Homer.

– Y en a un qu'a volé la valise d'Art.

– Non, sans blague ? siffla Homer avec intérêt. Y avait des trucs de valeur ?

– Pas vraiment », répondit Bramhall. Dans la catégorie « objets perdus », l'orteil d'Homer lui semblait largement l'emporter sur son roman.

Quand le pick-up s'enfonça dans un nid-de-poule, les trois hommes décollèrent de leurs sièges et se cognèrent au toit de la cabine. « Ils ont bossé comme des sagouins cette année, commenta Pinette. On dirait que le goudron de rebouchage a pas tenu.

– Il y a une façon de le poser, ce goudron, remarqua doctement Homer. Faut d'abord bien nettoyer le trou et puis on pose le matériau en couches. »

Des coups résonnèrent contre la vitre arrière de la cabine. Bramhall se retourna. Gummersong leur faisait signe de s'arrêter.

« Bon sang, qu'est-ce qu'il veut ? demanda Pinette.

– Il nous montre quelque chose sur le bord de la route, répondit Bramhall.

– Il veut sans doute qu'on s'arrête pour ramasser une canette de soda, fit Pinette. On fera ça au retour. »

Gummersong continuait à crier, essayant de se faire entendre par-dessus le ronflement du moteur. En équilibre instable, il pointait le doigt vers la route. Il finit par ôter sa chaussure et désigna son gros orteil, puis de nouveau la route. Bramhall scruta le plancher de la camionnette. « Homer, pardonnez-moi, mais où est votre orteil ? »

Plié en deux, Homer chercha partout, sous le tableau de bord, sous le siège. « On dirait bien qu'il a disparu.

– Disparu ? s'étonna Pinette.

– Passé à travers le plancher, conclut Homer, sans rien perdre de son flegme. Je vois que t'as quelques bons gros trous par ici. »

Pinette rangea le pick-up sur le bas-côté avant de se tourner vers Gummersong. « Où qu'on l'a perdu, Gus ? »

Gummersong se pencha et désigna l'endroit. « Juste à côté de ce poteau électrique, celui qui branle. » Tandis qu'ils faisaient marche arrière, Gummersong scrutait un bas-côté qu'il connaissait aussi bien que les détails de son propre visage. « Là, au bord du bitume. »

Pinette ralentit et s'arrêta, l'orteil entre les deux roues avant. « Va le chercher », dit-il à Gummersong.

Sautant du plateau le premier, le chien de Pinette plongea sous le pare-chocs avant. Happant l'orteil entre ses mâchoires, il croqua dedans à deux reprises pour en éprouver le goût puis l'avala.

Bien relevé, se dit-il. Avec juste un soupçon de sel. Il émergea de sous le pare-chocs la queue battante.

« Vinal, fit Gummersong, ton chien l'a bouffé.

– Qu'est-ce qu'il a bouffé ?

– L'orteil d'Homer. »

Ouvrant brusquement la portière, Pinette sauta dehors. Le chien le regardait fièrement, satisfait de la façon dont il avait géré l'incident.

« Saleté de bestiole de mes deux! » Pinette flanqua un coup de casquette à l'animal, qui fit un rapide bond de côté. Bramhall et Homer descendirent de voiture.

« Il a mangé ton orteil, Homer », expliqua Pinette, contrit.

Homer considéra le chien. Il remuait toujours la queue, la langue pendante. Peu habitué à toute cette attention, il fourra son museau entre ses pattes et aboya avec enthousiasme.

Homer eut un hochement de tête résigné. « Il a dû penser que c'était une saucisse. »

Maintenant que tu le dis, fit le chien, c'est vrai que ça y ressemblait pas mal.

« Bon, conclut Homer d'une voix toujours aussi neutre, du coup, l'affaire est réglée. » Il caressa l'animal, l'air absent.

« Les chiens adorent les saucisses », commenta Gummersong.

C'est vrai, confirma le chien. On adore.

Le cocktail de lancement du livre de l'ours avait lieu dans un entrepôt de Downtown dont on n'avait gardé que les murs extérieurs pour en faire la dernière boîte de nuit à la mode. Des conduits électriques apparents couraient sur la brique des murs. Des piliers en brique soutenaient le toit de la salle immense ; sur les quatre côtés, des passerelles formaient des balcons ; on avait accroché des posters de James Dean et de Marilyn Monroe derrière le bar, et des légendes vivantes se mêlaient à la foule dense. Le visage de l'ours, sourcils froncés, le regard perçant et inquiet, était en couverture du dernier numéro de *GQ*. Il avait accordé des interviews à *Publishers Weekly* et au *Village Voice*. Sans mentionner les critiques élogieuses déjà parues dans plusieurs magazines, accompagnées de commentaires enthousiastes d'éminents auteurs qui faisaient de Dan l'un des leurs.

L'ours avait choisi lui-même les mets servis à la soirée. La table du buffet était couverte de tartes et de gâteaux. Il y avait aussi des carafes de miel et de sirop d'érable. Sur chaque table, on avait disposé de minces feuilles en chocolat Michel Guérard ainsi que de délicats caramels français Gaston Lenôtre, sélectionnés à la boutique Au Chocolat du grand magasin Bloomingdale's. Il avait également insisté pour apporter sa lampe Vénus, qui se dressait au milieu des pâtisseries comme un étrange fétiche.

Bettina s'affairait parmi la foule, passant d'un invité à l'autre, renversant des verres et rassemblant les gens pour des photos. Elle tapa dans le dos de Boykins. « On marque plein de points, ce soir, Chum. On a des clichés de Dan avec le Docteur Ruth et Henry Kissinger, et qui d'autre compte en ce monde ? »

Le professeur Kenneth Penrod, de l'université de Columbia, dissertait sur le déclin de la littérature, tandis que son rival, Samuel Ramsbotham de NYU, dissertait sur le déclin de Kenneth Penrod. « Penrod accorde trop d'importance à l'auteur », soutenait Ramsbotham. « En littérature contemporaine, toute étude digne de ce nom a pour origine ceux qui l'enseignent. L'enseignant est la clé, car c'est l'enseignant qui crée le lecteur, cette entité essentielle. Non pas que je me considère personnellement d'une quelconque importance. J'admets sans le moindre problème que c'est par mes étudiants que j'ai appris la plus grande part de ce que je sais. C'est une façon radicale de voir les choses. Mais que disent les étudiants ? Que lisent-ils ? » Ceux du professeur Ramsbotham lisaient ce qu'il leur demandait de lire et particulièrement les anthologies qu'il avait dirigées, pour lesquelles il touchait des droits d'auteur deux fois par an. « Ce que je crois avoir détecté, confia-t-il à l'ours à voix basse, c'est la naissance d'un nouveau type de lecteur. Simple dans ses goûts. Lassé de la narration conventionnelle et à la recherche d'œuvres au contenu visuel fort. Je crois que nous allons assister à la fin du roman traditionnel et de son obsession nombriliste. Qu'en pensez-vous ?

– De la crème fouettée, fit l'ours, tout en en versant une louche sur une tranche de tarte à la noix de pécan.

– C'est exactement ce que je veux dire ! » s'exclama Ramsbotham. À quoi bon battre l'expérience humaine comme on battrait de la crème pour la transformer ? Très bien formulé, Flakes. »

La musique pulsait, et l'ours approuvait joyeusement du menton chaque fois que quelqu'un prenait un bonbon. C'est ma soirée, se disait-il fièrement, et tout se passe comme sur des roulettes. Il brandit un caramel devant la lumière. Une friandise ne pouvait pas être plus parfaite. Il l'enfourna, dévoilant l'extrémité luisante de ses crocs. La plupart des ours seraient incapables d'affronter une telle soirée. Gagnés par l'angoisse, ils finiraient par mordre quelqu'un.

Ses invités trouvaient qu'il était un hôte d'une rare modestie, plus soucieux de leur plaisir que du sien. « Il ne joue pas du tout au grand auteur, remarqua une jeune journaliste du magazine *Women's Wear Daily*.

– Toutes ces pâtisseries, c'est suicidaire ! lança une autre, de chez *Esquire*. Je viens d'avaler deux mille calories en une seule bouchée. » Toutes deux encadraient la statue de Vénus en plâtre doré, insolemment plantureuse, des perles d'huile luisante roulant le long des courbes voluptueuses de ses hanches.

« Je crois qu'il essaie de nous suggérer de laisser tomber notre idéal du corps anorexique.

– Pour cette seule raison il mérite le National Book Award. » La jeune femme d'*Esquire* s'empara d'une part de gâteau au chocolat.

« On m'a dit qu'il fréquentait quelqu'un, glissa celle de *Women's Wear Daily*, avec un mouvement de tête en direction d'Eunice Cotton.

– Mais est-ce vraiment elle qu'il fréquente ? D'après ce que je sais, ils ne sont qu'amis.

– Difficile de savoir, j'imagine. Elle est tellement bizarre…

– On devrait suivre son exemple.

– C'est vrai. Quatre best-sellers d'affilée. Cela étant, à moi, ils me tombent des mains.

– Ah oui ? Oh, *Les Anges au lit*, c'était drôle.

– Vous trouvez ? Autant que faire l'amour avec une bouillotte. »

L'ours s'approcha d'elles, heureux de voir des femelles se régaler de gâteau au chocolat. Il avait noté que les femelles humaines ne profitaient pas de la formidable variété des douceurs à leur disposition. Sentant quelqu'un lui tapoter légèrement l'épaule, il se retourna. Une jeune femme svelte à grandes lunettes lui colla un micro sous le nez.

« Carmen DaCosta, de WFMU. Quel auteur vous a le plus influencé ? »

L'ours, mal à l'aise, se balança un instant d'un pied sur l'autre, la patte dans la bouche, avant de désigner le seul auteur qu'il connaissait : Eunice Cotton.

« Eunice ? s'étonna-t-elle, en éteignant son micro. De la part d'un écrivain de votre trempe, c'est assez curieux. J'aime bien les livres d'Eunice, ils sont amusants, mais les prenez-vous au sérieux ?

– Du gâteau, fit l'ours, essayant de ramener la conversation vers l'essentiel.

– C'est toujours l'image que j'en ai eue, oui. Mais vous suggérez qu'ils représentent davantage ?

– Encore des douceurs. » L'ours essaya tant bien que mal de clarifier son propos. « Les douceurs, c'est bon. »

Carmen remonta ses lunettes sur l'arête de son nez d'une poussée du majeur. Elle avait l'esprit vif, rendu plus vif encore par le taux élevé de sucre qui s'écoulait dans son sang. « Je crois que je vois ce que vous voulez dire. Les anges pop d'Eunice viennent atténuer l'amertume des années 1990 ? »

La bouche pleine de pâte d'amande, l'ours opina du chef. Je m'en sors bien avec les questions, aujourd'hui, se dit-il.

« Et cela ne vous dérange pas d'admettre que vous pouvez tirer un enseignement de la philosophie populaire ? C'est une bouffée d'air frais, Monsieur Flakes. Moi aussi, je déteste le snobisme littéraire. Pourquoi, lorsque je lis un livre d'Eunice, devrais-je me sentir coupable de me sentir toute chose ? Elle fait vibrer ma corde sensible, et alors ? C'est sain. Vous savez quoi ? J'aimerais bien qu'on puisse se revoir pour une interview plus longue. Au calme. Ce serait possible ? »

Bettina intervint. « Je parie que Dan ne vous a pas dit à quel point il admire votre émission, Carmen. On se cale un entretien plus fouillé pour demain ? »

Les deux femmes s'éloignèrent ensemble et l'ours laissa échapper un petit soupir de soulagement. Quand les humains s'adressaient à lui, tout semblait patiner puis se figer dans sa tête. Je manque encore un peu de confiance en moi, se dit-il. Ça se tassera avec le temps. Il s'imaginait bavardant joyeusement avec les gens, capable d'émettre tous les sons enjoués de la conversation humaine. Ça ne devrait plus tarder, se dit-il. Je n'ai que très rarement grogné de toute la soirée.

« Le nouveau livre est pour bientôt ? » demanda une voix à ses côtés.

L'ours secoua la tête. « Je n'en trouve pas.

– Ça va venir », dit Alice Dillby, une jeune assistante d'édition de Cavendish Press. Elle tenait sincèrement à se rendre utile, et son enthousiasme se nourrissait de l'énergie de la soirée et du miel qui circulait dans ses artères. « D'où vient le problème à votre avis ?

– J'ai regardé sous tous les arbres.

– Mais il y a bien un sujet qui vous inspire, non ?

– Non », répondit l'ours.

Alice le considéra, admirative. Ce qu'elle préférait chez un homme, et qu'elle trouvait rarement, c'était la modestie.

Et c'était cela qui faisait l'incroyable présence de Dan, il se conduisait sans prétention. « Vous avez vraiment vécu, dit-elle.

– Dans une caverne. » Il sirotait son miel, pas le moins du monde gêné par son aveu, maintenant qu'il avait compris que les gens entendaient toujours autre chose que ce qu'il cherchait à leur dire. Il trouvait étrange, lui, un ours, d'être la cause de cette fête gigantesque. Tout ça, c'est moi qui l'ai provoqué, se dit-il, parce que je me suis trouvé au bon endroit au bon moment. La chance s'est présentée à moi dans une mallette et je l'ai saisie. Sans jamais regarder en arrière.

Elle eut le sentiment qu'il essayait de lui enseigner quelque chose d'important. « Une caverne ?

– L'hiver.

– Vous faites référence à Platon ? À son mythe de la caverne ?

– Une caverne douillette. Pleine de rêves.

– Oui, oui, acquiesça Alice avec extase. Nous prenons pour acquis les illusions dans la caverne au lieu d'accepter la réalité de ce que nous sommes. Qui parmi nous vit vraiment à la hauteur de son idéal ? »

La voix d'Alice commença à se fondre dans le brouhaha des conversations. Les profondeurs de la discothèque bourdonnaient, et les oreilles de l'ours pivotèrent vers l'avant, comme elles le feraient face à un danger imminent. Le courant de joie qui l'électrisait se mua en frayeur. Les spots clignotaient sur la peau d'Alice, lui donnant un ton blanc et rouge fluo, faisant palpiter agressivement son visage légèrement chevalin.

« … J'aimerais vous prendre en photo avec le maire, Monsieur Flakes, s'il vous plaît… » On l'arracha à Alice et un flash partit. Le bourdonnement s'intensifiait dans un espace qui se

creusait de manière terrifiante… l'humanité… l'humanité…
le seul ennemi de l'ours.

« Dan, je voudrais vous présenter… du magazine *Psychology Today*… »

« … la façon dont votre héroïne apprend à s'imposer… »

L'espace ne cessait de s'agrandir, sinistre, laissant émerger de grotesques silhouettes humaines, caquetantes, gesticulantes, menaçantes. Il joua des coudes à travers la piste de danse. Gadson le saisit au passage. « On a réussi, Dan. » Passablement éméché, il donna l'accolade à l'ours. « On leur a servi la bonne vieille copulation américaine à la papa et ils ont adoré. Ajoutons-y quelque chose de plus exotique maintenant. Mettons leurs stéréotypes sexuels à l'épreuve. Dansons la carioca ! »

Se dégageant de l'étreinte de Gadson, l'ours continua en direction de la porte. Penrod se planta sur son chemin. « La symbolique du poisson dans votre livre… la canne à pêche… »

Contournant promptement l'influent professeur, l'ours pressa le pas, sans prêter attention aux regards curieux de ses invités.

« Eh bien ! s'exclama la journaliste de *Women's Wear Daily* en le regardant franchir le seuil, je trouve ça rafraîchissant ! D'habitude, les auteurs font semblant d'être réfractaires à la publicité, mais a-t-on déjà vu… ?

– Qu'est-ce qu'il nous fait ? cria Gadson à Bettina. Il ne sait pas combien coûte cette fichue soirée ou quoi ? »

Voyant elle aussi l'ours battre en retraite, Eunice lui courut après. Lors de sa première soirée de lancement, alors qu'elle n'avait pas encore terminé sa transition de coiffeuse à auteure, elle aussi avait perdu les pédales, soupçonnant les gens de se payer sa tête lorsqu'ils faisaient l'éloge de ses anges. « Dan, attendez ! »

L'ours dévalait la rue, les pattes sur les oreilles, essayant de se couper du bruit du monde des humains. Il humait l'air, dans l'espoir de retrouver cette odeur qu'il suivait dans la forêt, celle qui le conduisait vers une prairie pentue baignée de soleil où les iris sauvages étaient en fleurs. De là, il pouvait contempler une vallée enchanteresse qui recelait tout ce qui comptait le plus pour un ours – poissons, noix, baies, dont il se nourrissait dans le doux silence du jour. Nul besoin d'autre compagnie que celle des corneilles, leurs ailes brassant l'air immobile, leurs cris perçants lui apportant des nouvelles de la chouette, de l'aigle, du faucon. Les renards détalaient à son approche. Dans cette vallée, il était le roi. Le nez assailli par les fumées âcres de Manhattan, il sentit son cœur se briser. Il avait renoncé au paradis pour le miel et les honneurs.

« Dan, je vous en prie, attendez-moi ! » Eunice courait toujours à ses trousses, cheveux au vent, talons cliquetant contre le bitume, laissant derrière elle un sillage parfumé. « Je vous en prie, Dan ! » Elle le rattrapa, le saisit par la manche. Quand il se retourna dans un rugissement, son chagrin la toucha au cœur. « Mon pauvre chéri », gémit-elle en l'étreignant, sans se soucier des deux paparazzis qui l'avaient suivie, menés par Bettina qui leur criait de ne pas manquer cette chance d'immortaliser la querelle amoureuse de ses deux auteurs stars.

Les flashs crépitaient, le mécanisme automatique entraînait la pellicule et Bettina glapissait maintenant, excitée par l'envie de voir l'image de son auteur circuler massivement. « Le décolleté, ne ratez pas le décolleté ! »

Eunice pivota dans sa direction. « Bettina, comment osez-vous ? » Puis elle offrit de bon cœur à l'objectif un profond aperçu dudit décolleté avant de se jeter à nouveau au cou de l'ours. « Je comprends ce que vous ressentez, Dan. Je suis passée par là, moi aussi. » Elle lui caressa le visage, ses yeux extralucides emplis de larmes.

« Le rituel mesquin et artificiel du succès. C'est monstrueux, c'est blessant. Mais c'est le prix que nous devons payer pour être riches et célèbres. Et mes anges m'ont assurée qu'il n'y a aucune honte à être riche et célèbre. Les anges aiment les riches et célèbres. »

Au crépuscule, Arthur Bramhall et Vinal Pinette glissèrent au bas d'un ravin boisé où se trouvait l'entrée d'une grotte. Bramhall la renifla soigneusement et prudemment. Cela sentait les branches de pin et l'ours. Il se glissa à l'intérieur, rampant sur les aiguilles sèches qui jonchaient le sol.

« Alors, c'est comment ? » demanda Pinette en apparaissant derrière lui dans l'ouverture, par laquelle filtrait un demi-jour.

« Abandonné. »

Pinette entra à son tour et s'accroupit sur les branches sèches. « L'oncle Filbert a essayé de vivre dans une grotte une fois. Leonora Spraggins le cherchait parce qu'il lui avait mis un polichinelle dans le tiroir, et il avait aussi ses cinq frères aux basques. »

Bramhall s'accroupit, dos contre la roche. Loin du tourbillon du monde. Il n'y avait là que l'odeur de l'ours et des branches de pin, et la vue sur les arbres qui se dressaient à l'extérieur. Il poussa un soupir d'aise, celui qu'aurait poussé une imposante créature difficile à satisfaire qui aurait enfin trouvé dans cette vaste grotte exactement ce qu'elle cherchait.

« Histoire de lui compliquer encore les choses au Filbert, la police aussi était après lui, parce qu'il avait truqué un jeu de bingo. Alors une belle grotte, c'était exactement ce qu'il lui fallait. »

Bramhall ressortit en rampant jusqu'à un pin qui se trouvait à proximité, arracha une pleine brassée de branches et revint. Pinette le regarda les étaler au sol. « Quand il est ressorti, le Filbert, il avait l'avenir devant lui. La police l'avait oublié et Leonora s'était trouvé un autre amoureux qui faisait l'affaire, même s'il avait un goître de la taille d'une patate à l'arrière du cou. Vous croyez pas qu'on devrait l'écrire, ça ? J'ai plus très bonne mémoire et on risque de plus jamais se rappeler tout ce qu'on raconte là. Je crois que c'est des trucs comme ça qui font du bon divertissement populaire. »

Assis sur les branches fraîches, dans cette grotte vieille de plusieurs millions d'années, Bramhall se sentait plus en sécurité encore que dans sa grange ou dans la cabane de Gummersong. L'endroit avait abrité d'innombrables générations d'animaux, et il percevait leur empathie pour ce lieu, comme si les parois conservaient le souvenir de leurs émotions.

« L'oncle Filbert a dû cogiter sérieux pendant qu'il était enfermé dans sa grotte, parce que pas longtemps après sa sortie, il s'est débrouillé pour obtenir un prêt du gouvernement qui lui a servi pour ouvrir son épicerie. Il serait riche aujourd'hui s'il avait pas fait une toute petite erreur. » Pinette tourna le regard vers Bramhall dans la pénombre de la grotte.

« Et quelle était l'erreur de l'oncle Filbert ? » demanda Bramhall.

« Il se sifflait un pichet de vin tous les soirs pour s'endormir, ce qui est pas un gros risque en soi. Mais un soir, en voulant attraper son vin, il s'est planté et a avalé un pichet d'eau de Javel. On l'a retrouvé le lendemain matin plus raide qu'un rouleau à pâtisserie, les doigts agrippés à la bouteille de Javel vide. » Pinette, dans l'ombre, hocha la tête d'un air solennel. « Et voilà un récit qui en dit long sur ce qu'y faut et sur ce qu'y faut pas garder à côté de son lit. Y a des lecteurs pour ce genre d'histoire. »

Bramhall remarqua, dans les dentelures de la roche, des

touffes de poils rêches laissées par l'occupant précédent. Il percevait les allées et venues de l'animal qui se préparait une couche confortable comme lui venait de le faire. Il sentait sa masse, son incroyable puissance, sa revendication impérieuse de l'endroit. Et en son for intérieur, il sut avec une étrange certitude que la bête ne reviendrait pas.

« Dan, c'est Bettina. Il faut vous rendre à l'interview, c'est l'heure. Vous vous souvenez ? Vous enregistrez avec Bill Degom. Une limousine vous attendra devant l'immeuble. Je vous retrouve devant les locaux de la NBC. » Bettina, dans son bureau de Cavendish Press, avait chaussé son casque de téléphone, ce qui lui laissait les mains libres pour s'occuper de la paperasse générée par la tournée de Dan Flakes. On avait envoyé des brochures en quadrichromie à tous les médias importants du pays, journaux, télévisions, radios, et des portes s'étaient ouvertes. La chemise contenait un extrait du roman que le *New Yorker* avait publié, et une biographie fascinante de Dan Flakes inventée par Bettina. Il y avait également un certain nombre de traits d'esprit attribués à l'auteur, eux aussi des trouvailles de Bettina. On y avait inclus le tirage sur papier brillant d'un portrait de l'ours en format 13x18 à l'éclairage remarquable, où il affichait un air sérieusement littéraire.

Bettina raccrocha et jeta un regard à son assistante. « Je crois qu'il ne se rend pas compte à quel point décrocher le *Today Show* est difficile. J'espère que Bill Degom et lui s'entendront bien. »

L'ours descendit au rez-de-chaussée par l'ascenseur de son immeuble, salua poliment le portier, sortit, huma l'odeur de Central Park et passa sans ralentir à hauteur de la limousine qui l'attendait, laquelle était conduite par Zinatoon Nipunik, de la société Lightning Limo. Occupé à chercher une boulette de falafel tombée de son pain pita sur le plancher de la limousine, Nipunik manqua l'arrivée de son passager.

L'ours plongea dans Central Park. C'était le premier hiver qu'il passait éveillé et il savourait la solennité du paysage. Cette immense perte de temps que l'on appelait l'hibernation, à laquelle il avait sacrifié plusieurs années de sa vie, n'était plus nécessaire maintenant qu'il disposait du chauffage central. Il se roula dans l'herbe sèche et donna des coups de patte vers le ciel en lâchant un léger grognement de plaisir. Puis une ombre inquiétante vint voiler ses pensées : il était censé faire quelque chose. Mais quoi ? Quoi, quoi, quoi ?

Une interview !

Où ?

Quelque part.

Quelque part, quelque part, quelque part.

Avec quelqu'un.

Qui ?

Chut, ne dites rien, je le sais.

Quand cela lui revint, il se passa la langue sur le museau.

Boule de Gomme !

Sorti sur Central Park West, il sut qu'il maîtrisait la situation quand il aperçut la bouche de métro.

Il aimait les bouches de métro car elles lui rappelaient l'entrée d'une grotte. Il passait rarement devant sans s'y enfoncer. Parvenu dans les profondeurs des tunnels aux échos caverneux, il se sentait chez lui. Lors d'une de ces excursions souterraines, il avait découvert les distributeurs de boules de gomme, des globes de verre fixés à des poteaux sur les quais du métro. Si sa grotte dans la forêt avait été équipée d'une telle chose, peut-être n'aurait-il jamais éprouvé le désir de partir. Mais, une fois de plus, c'était à l'homme, avec ses capacités mentales supérieures, qu'il avait été donné de faire ce grand bond en avant.

Il descendit donc dans le métro, passa les portillons et gagna le quai. Et comme de bien entendu, il y avait là un distributeur de boules de gomme.

Je me débrouille splendidement bien, se dit-il en s'approchant de la machine.

Il inséra une pièce de vingt-cinq cents dans la fente, tourna la manivelle et regarda tomber une grosse boule rouge. Il la prit dans sa patte et la regarda.

Une interview.

Avec une boule de gomme.

Il attendit et, tandis que les trains allaient et venaient, la boule immobile dans le creux de sa patte, il se demanda s'il y avait, peut-être, quelque chose qu'il n'avait pas saisi.

Il enfourna la boule de gomme dans sa bouche.

Le colorant rouge vif qui la recouvrait fondit sur sa langue, libérant ses agents cancérigènes à la surface de ses papilles, absolument excellent.

Il mâchait joyeusement. Finalement, tout s'était passé comme sur des roulettes, la mission avait été accomplie. Il s'entretenait avec une boule de gomme. Faire sa promotion n'était pas si compliqué. Il se demanda pourquoi la petite femme oiseau à sa maison d'édition se rongeait tant les sangs à ce sujet.

Un train entra dans la station avec un bruit de ferraille. Il monta. C'était la première fois qu'il en prenait un, mais ce jour était un jour où innover.

Il s'assit et la voiture s'ébranla. Il regardait les tunnels filer de l'autre côté de la vitre tout en mâchant sa boule de gomme d'un air songeur.

Il laissa passer un grand nombre de stations, puis il commença à avoir faim. Il est temps de descendre, se dit-il. Il se leva donc et attendit l'arrêt suivant. Il fit surface dans un quartier inconnu. Il se mit à marcher, humant l'air, mais avant qu'il ait eu le temps d'identifier toutes les odeurs, un mâle dominant en costume rouge brillant à grandes épaules l'arrêta. Le mâle dominant était accompagné de deux femelles en mini-jupes. « Yo, frère, lança le mâle dominant, une envie de te dégourdir un peu avec les deux bonnes sœurs que j'ai là ? »

Les femelles lui sourirent. Avec un déhanché dans sa direction, l'une d'elles lui lança : « Un petit bout de ma chatte, chéri ? »

L'ours avait faim et il lui était reconnaissant de lui proposer de partager son repas avec lui, mais la viande de chat n'était guère à son goût. « Non merci, dit-il. Au revoir. »

« Il n'est pas là ! hurla Bettina dans son téléphone portable en faisant les cent pas sur le trottoir devant la NBC, survoltée. Je vous ai engagé pour aller chercher mon auteur et me l'amener ici et il n'est pas là !

– Mon chauffeur là-bas, répondit Manfaluti Kheyboom, le propriétaire de Lightning Limo. Lui était devant immouble.

– Oui, et maintenant, où est-il ?

– En route.

– Sans mon auteur ?

– Auteur pas venu.

– Que voulez-vous dire, pas venu ? Il a quitté l'immeuble.

– Mon chauffeur demandé. Personne au courant rien.

– Rien, c'est ce que je vais vous payer !

– Mon chauffeur perdou trois heures.

– Et moi, j'ai perdu mon auteur !

– Pas ma foute, madame. La foute à votre auteur.

– La foute, la foute ! Allez vous faire foutre, oui ! hurla Bettina en mettant un terme à la conversation d'un coup de doigt rageur sur la touche de fin de communication. Manfaluti Kheyboom secoua tristement la tête : nous venir en Amérique, nous essayer apprendre la langue, se dit-il, nous engager un bon chauffeur et nous récolter seulement incompréhension.

L'ours ne savait pas qu'il était à Harlem, mais il savait que l'endroit était différent de son quartier. De la musique s'échappait des fenêtres, et les gens semblaient moins pressés qu'ailleurs en ville. Ils traînaient en groupes au coin des rues, alors que dans son quartier, les gens se hâtaient sur les trottoirs sans même se regarder. Il sentait qu'il se détendait et décida qu'il allait venir s'installer ici.

Il aurait voulu un costume rouge brillant comme celui du mâle dominant au lieu de son costume en tweed gris, de sa casquette de baseball et de sa cravate à clip.

Il poursuivit sa route, guidé par les odeurs qui flottaient autour des restaurants. Deux enfants surarmés l'observaient. Deux frères, que les gosses plus costauds appelaient les Minus – Minus Un et Minus Deux. Minus Un avait un QI de 200 et lisait déjà le journal quand il était encore en couches-culottes. Son ambition était de devenir un bandit et de conduire une Lincoln blanche aux chromes dorés à l'or fin.

Minus Deux avait découvert le principe de l'arithmétique en base dix quand il était bébé, en s'amusant dans son parc avec son boulier. Avant de savoir parler, il pouvait déjà résoudre des équations complexes et pratiquait le calcul mental à des vitesses impressionnantes. Son ambition à lui était de contrôler soixante pâtés d'immeubles du quartier par la vente de résidus de crack, commerce dont il comptait tirer mille dollars par jour. Minus Un et Minus Deux savaient que personne à Harlem ne surpassait leur intelligence, ce qui n'empêchait pas les gangsters plus âgés de leur mettre régulièrement de bonnes dérouillées. Ils étaient donc constamment à l'affût d'opportunités pour impressionner les plus âgés. Et ce gros plein de soupe qui venait de faire son apparition dans le quartier représentait peut-être bien l'opportunité rêvée. Il était mastoc et il avait l'air méchant. « Il essaie sans doute de mettre la main sur un bout de territoire, suggéra Minus Un.

– C'est nous qu'on va mettre la main sur lui plutôt, ouais! » répondit Minus Deux, une main sur le canon de la mitraillette dissimulée sous ses vêtements.

L'ours flânait d'un air béat, se livrant à sa dernière imitation de l'être humain. Il reproduisait la démarche du mâle dominant en costume rouge, un balancement cadencé du torse et du bassin, et des pas lourds qui rasaient le sol comme pour en tester la solidité.

« Le gars marche comme un mac, remarqua Minus Un.

– Il est sapé grave ringard pour un mac. »

L'ours avait remarqué des gestes inhabituels que s'adressaient les jeunes de ce quartier quand ils se rencontraient dans la rue, des gestes qu'il imita également.

« Yo, y fait not' salut! » hurla Minus Un. Ceux qui se permettaient de saluer de la sorte alors qu'ils n'étaient pas membres du gang méritaient la mort. « Zyva, il insulte grave le quartier, là! Il manque de respect à notre salut! Je vais aller lui régler son compte à ce fils de pute!

– On est pas assez près. T'énerve pas. »

Minus Un et Minus Deux avancèrent aussitôt dans sa direction. « Je vais lui coller une giclée de plomb dans le cul pour avoir osé ! » dit Minus Un. Quelque part dans sa petite tête de génie, il se savait perdu dans un palais des glaces, mais vu qu'il n'avait que huit ans, il n'avait rien d'autre en tête que d'y voir son reflet plus grand que nature.

« Ouais, aujourd'hui, c'est la dernière fois qu'il saluera, renchérit Minus Deux qui, comme son frère, n'avait qu'une vague conscience de lui-même. Parfois, ses calculs mathématiques éclairs étaient assortis de réflexions sur son avenir qui l'effrayaient, mais pour un trop court laps de temps.

Les Minus s'approchèrent de l'ours. Il s'était arrêté pour écouter trois mâles chanter à un carrefour. Il n'avait jamais entendu de musique aussi belle que ce chant. Ses oreilles pivotèrent, attirées vers la beauté de leurs voix qui se complétaient harmonieusement. Voilà ce que cela donnait :

« *Shooo-doop-en shooo-bee-dooo…* » Leur harmonie vocale produisait un son que l'ours avait l'impression de pouvoir toucher de la patte.

« L'enfoiré, il salue de nouveau… fit Minus Deux.

— Faut qu'on arrive par l'autre côté ou on risque de tirer dans le cul des King Tones au passage.

— N'empêche, ça serait cool de le descendre juste à côté des King Tones.

— Ouais, ils apprécieraient la petite touche dramatique pendant qu'ils chantent. »

Les King Tones étaient trois, connus sous le nom de King Cobra, Kaiser Wilhelm et Imperial Decree. Depuis quelque temps, Imperial Decree ingérait une nouvelle marque de diluant pour peinture qui déposait sur ses cordes vocales un voile idéal pour chanter. L'ours n'avait jamais entendu de voix aussi grave chez un homme, une voix douce aussi, pareille à un épais sirop doré se déversant dans l'air depuis sa gorge. Mais sous l'effet du diluant, les yeux d'Imperial Decree avaient commencé à disparaître dans leurs orbites et il avait les genoux flageolants.

« Ça va, Imp ? s'inquiéta King Cobra, le leader du groupe.

– Ça ira… répondit le chanteur tout gondolé. J'ai juste besoin d'une petite pause… » Imperial Decree posa la joue contre le trottoir, sa tête lui semblait tourner de plus en plus vite. « Faut que je… me stabilise…

– Tu vas chanter couché ?

– Je chante d'où je veux.

– Ok, on recommence du début. »

Minus Un et Minus Deux s'étaient placés de façon à avoir le Gros Plein de Soupe dans le viseur. « Maintenant, fit Minus Deux en plongeant la main sous son T-shirt pour s'emparer de son arme, on y va pour le quartier ! »

« *Shooo-doooop-en shooooo be-dooooo…* » L'harmonie s'envola de nouveau, mais l'ours remarqua qu'il en manquait une partie. Le chanteur à la voix grave bougeait les lèvres sans qu'aucune musique n'en sorte, seulement des crachouillis presque imperceptibles.

« Merde, il est complètement défoncé maintenant, fit King Cobra. Les résines de vinyle lui retournent carrément le cerveau. »

L'ours ouvrit la bouche et soudain un grognement grave et mélodieux en sortit, car les ours sont des bêtes naturellement aptes à la musique. Sa formidable voix caverneuse emplit l'air autour de lui. Les King Tones le dévisagèrent, surpris, puis se remirent à chanter, l'incitant d'un regard à continuer.

L'ours continua donc, flottant avec ravissement dans le morceau, se coulant dans l'harmonie. Son grognement musical épousait les pulsations de la ligne de basse et il y mit tout son cœur, son puissant diaphragme se dilatait, laissant son souffle résonner dans sa poitrine et jusque dans son ventre.

La voix de ce gars, on dirait la corne du ferry de Staten Island, remarqua King Cobra.

« On peut pas le descendre pendant qu'y chante, fit Minus Un, en abaissant le canon de l'arme de Minus Deux. Sinon, les King Tones y risquent de croire qu'on leur manque de respect.

– On attend qu'ils ont fini, » décida Minus Deux.

L'ours se balançait tout en chantant, les yeux plissés de concentration, sa voix roulant au plus bas du registre vocal. Kaiser Wilhelm avait pour sa part une voix de tête, pareille à un faucon dans le vent, un son doux et triste à la fois, à vous fendre le cœur, un son que l'ours connaissait bien et auquel il mêla son propre grondement retentissant. Après la dernière note, le leader du groupe enlaça les épaules de l'ours et dit : « Mon frère, putain, toi tu chantes ! »

Mon frère, se dit l'ours avec excitation. Sans doute son imitation de l'humain avait-elle été parfaite. Une sacrée étape était franchie !

« Ok, fit Minus Deux, la chanson est finie, on peut le dégommer maintenant. »

Au moment où Deux et Un sortaient leurs armes, King Cobra se tourna vers eux. « Yo, à quoi vous jouez, là ?

– Ce Gros Plein de Soupe a fait notre salut, expliqua Minus Deux. Il a manqué de respect au quartier.

– Cassez-vous avant que je vous mette une putain de branlée, lança King Cobra qui, malgré ses 1m 60, imposait le respect dans le quartier par ses talents musicaux. C'est notre frère de cœur. » Il serra plus fort l'épaule de l'ours.

« Un type qui sort un son comme c'lui qu'y sort, j'en ai rien à battre de comment qu'il salue. Pigé ?

– Oui m'sieur, répondirent en chœur les deux Minus en rengainant leurs armes.

– Bon, allez mettre le dawa ailleurs, on veut pas voir votre boule par ici. »

Les deux Minus s'éclipsèrent et King Cobra dit à l'ours : « Ces petits bouffons ont rien de mieux à foutre que dégommer les gens. Y a un temps pour chaque chose mais ça, y zont pas encore pigé. Bon – un petit rap, ça te chauffe, frère ? »

Le minuscule leader des King Tones pouvait faire rimer quatre-vingt mille mots en rimes simples, doubles ou triples. L'ours, emporté par le rythme et les pulsations du morceau, se mit à sautiller sur place, balançant les bras d'avant en arrière en poussant en guise d'accompagnement des grognements cadencés pareils à un tambour. Se laissant rouler sur le dos, Imperial Decree contempla le ciel, le blanc de ses yeux de la couleur du white spirit. Il claquait faiblement des doigts au rythme de la musique. « Ça le fait, dit-il, ça le fait grave ! »

Le morceau achevé, King Cobra dit à l'ours : « Faut qu'on lui remplisse un peu le bide, au frère, pour atténuer les effets de c'qu'il a avalé. Ça te chauffe d'aller te becqueter un truc ?

– Un petit bout de chatte pour se dégourdir », répondit l'ours, agitant toujours le bras gauche en cadence.

King Cobra se pencha vers Imperial Decree. « Tu peux te lever et marcher, Imp ?

– C'est mieux si je bouge pas… j'crois », répondit Imperial Decree, un œil à l'est et l'autre à l'ouest, sa voix de basse résonnant contre le bord du trottoir.

« Merde, fit King Cobra, si on le laisse là com' ça y va se faire rouler dessus par un bus. »

Se baissant, l'ours saisit Imperial Decree d'une main pour le poser en douceur sur son épaule.

« Merci… beaucoup, marmonna Imperial Decree, la tête en bas.

– Va falloir que t'arrêtes le diluant, man, ça va te tuer sinon, dit King Cobra.

– Amen », gémit Imperial Decree.

Minus Un et Minus Deux, la main sur les armes dissimulées sous leurs vêtements, avaient emboîté le pas à King Cobra et à l'ours. Si le Gros Plein de Soupe causait des soucis aux King Tones, ils lui ventileraient le cul.

« Y a un super restau un peu plus loin qui s'appelle Ralph, annonça King Cobra à l'ours. Tous les mardis après-midi, Ralph propose un menu spécial à 75 cents. »

L'ours approuva du menton, les narines frémissant au contact de l'odeur qui émanait de l'aération du restaurant. Il était enchanté du tour qu'avait pris la journée. Il avait interviewé une boule de gomme, et maintenant, il s'était fait des amis, dont l'un d'eux pendait à son épaule.

Ils pénétrèrent dans le petit restaurant, fréquenté par un grand nombre d'habitants du quartier. Il était meublé de quelques tables décorées de bouquets de fleurs en plastique ; un comptoir bordé de plusieurs tabourets de bar branlants faisait face à la fenêtre. L'ours huma l'air et aima ce qu'il sentit. Il se délesta du nouvel ami qu'il portait sur son épaule et le maintint debout à côté de la vitre.

King Cobra était en train de consulter un tableau noir faisant la promotion du menu spécial. « La meilleure affaire de la ville : beignets de poulet, frites, salade et deux tranches de pain pour 75 cents. » Se penchant vers l'ours, il dit à mi-voix : « Ralph se ruine avec son menu à 75 cents. Mais au moins y voit des gens qui mangent. »

L'ours approuva d'un signe de tête. Il comprenait. Les gens que vous voyiez manger, en général, ne vous mangeaient pas vous.

Ralph apparut dans l'encadrement du passe-plat, envoyant un menu spécial dans la salle. Il ne se rendait pas vraiment compte que son menu le mettait sur la paille. Il avait beau savoir que quelque chose clochait, il ne songeait pas à remettre en cause son menu, parce que lorsque les gens entraient, s'installaient et dégustaient ses délicieux beignets de poulet, enrobés de sa pâte à frire maison, un sentiment de plénitude l'étreignait. Il se tourna vers Imperial Decree, posé contre le mur dans un coin de la salle. Le white spirit, de nouveau, c'est ça? Et puis il chante comme Pavarotski. « Faut que tu fasses un disque! cria Ralph à Imperial Decree.

– Faut d'abord que je trouve la porte pour entrer! répliqua King Cobra.

– Ou la fenêtre, glissa l'ours.

– Hein?

– Une fois, j'ai cassé une fenêtre pour entrer.

– On parle pas de la même chose », dit King Cobra. Il commençait à se rendre compte que le Gros Plein de Soupe avait un petit pois dans la tête. Un de ces gros gars un peu lents toujours à la traîne en classe. « On essaie de percer dans le showbiz, tu vois ce que je veux dire? Mais on n'a pas les connexions qu'il faut.

– La promotion, répondit l'ours.

– Vazy, répète? »

« Ils ont un son fabuleux, c'est vrai », dit Bettina.

Bettina habitait une rue crasseuse et pas particulièrement sûre d'Alphabet City, dans le Lower East Side, mais elle y était propriétaire d'une maison de deux étages, qu'elle habitait seule. La rue, ce jour-là, était rendue plus sûre par la présence de Minus Un et Minus Deux qui montaient la garde devant chez elle. À force de geindre, les deux Minus avaient été autorisés à les accompagner. King Cobra avait fini par céder, car des gens de son quartier avec qui il était en affaires voulaient l'abattre, et en tant que gardes du corps, les Minus n'hésiteraient pas à tuer.

L'ours était assis, une assiette pleine posée sur ses genoux, à laquelle il accordait toute son attention. Il était content d'avoir permis à Bettina et aux King Tones de se rencontrer. À peine l'avait-il appelée qu'elle avait envoyé une limousine ; et tous y étaient montés, dégustant des olives et des cacahuètes tout le long du trajet.

« … Merci de nous avoir amenés ici, frère, dit doucement King Cobra, assis à côté de lui sur le canapé. C'est le genre de visibilité qu'il nous fallait.

— Pas de problème, répondit l'ours.

— Si un jour t'as besoin qu'on règle son compte à quelqu'un, appelle-nous, tu pourras compter sur les King Tones. »

On sonna à la porte de l'appartement et les Minus ouvrirent à Chum Boykins.

Boykins considéra d'un air stupéfait les deux garçonnets armés de mini-mitraillettes.

« Zêtes là pour Miss Quint ? demanda Minus Un.

— Laissez-le, il est cool, cria Bettina depuis le salon.

— Cool ? s'exclama Boykins en entrant à grands pas dans le salon. Qu'est-ce qui se passe ici, Bettina ?

— Chum, je te présente les King Tones.

— Comment allez-vous, dit Boykins, en adressant un signe de tête aux membres du groupe.

— On va super, répondit King Cobra, et ça, on le doit à la gentillesse de gens vraiment, vraiment bien. » King Cobra adressa un sourire à Bettina et au Gros Plein de Soupe. Il savait à présent que ce dernier, loin d'avoir un petit pois dans la tête, était en fait un écrivain célèbre, disposé à partager ses contacts avec un frère. En apprenant la véritable identité du Gros Plein de Soupe et de ses amis, les Minus avaient eux aussi revu leur opinion. La première chose qu'ils remarquèrent en entrant chez Bettina fut la silhouette en carton haute de deux mètres vingt-deux du basketteur Fahmadoo Shameel, auteur d'une biographie best-seller publiée chez Cavendish Press. Voyant les Minus contempler le Shameel grandeur nature, Bettina le leur offrit et se les mit dans la poche pour toujours. Lui jurant silencieusement leur loyauté, ils firent sauter le cran de sûreté de leurs mitraillettes. Assis côte à côte sur le canapé, maintenant, ils dégustaient des tranches du gâteau aux graines de pavot préparé par Bettina.

Bettina se tourna vers Boykins. « Vous voulez entendre d'autres bonnes nouvelles ? lança-t-elle. Dan a manqué son interview avec Bill Degom, aujourd'hui.

— Boule de Gomme, répéta l'ours en opinant du chef.

— Seigneur Dieu, non ! s'exclama Boykins. Vous avez réussi à rattraper le coup ?

— Bill s'est montré très compréhensif, répondit Bettina. On l'a échappé belle.

— Il faut absolument que vous gardiez toujours un œil sur Dan, dit Boykins.

— C'est nous qu'on va le faire pour vous ! dit Minus Un. Avec nous, y sera toujours où qu'y doit être !

— Bettina, nous sommes responsables de Dan comme s'il s'agissait de notre fils, insista Boykins. Il n'est pas habitué à la grande ville. Il y est désorienté.

— Ça ne se reproduira pas, Chum. Maintenant, concentrez-vous sur la musique.

« – Je dois vous avouer que le fait d'avoir été reçu sur le pas de la porte par deux enfants armés m'inquiète profondément.

– Chum, vous connaissez quelque chose à l'industrie de la musique ?

– J'y connais des gens, pourquoi ?

– Parce que les King Tones vont devenir des stars et vous pourriez être dans la boucle.

– Je suis agent littéraire, Bettina.

– Ils vont faire un malheur, Chum.

– Je vois. »

Boykins, pour sa part, chassait un autre genre de malheur à coups de mégadoses de Prozac, il souffrait d'un niveau élevé de sérotonine, et la soumission cruelle qu'exigeait Mickey Mouse avait tout sauf disparu. Quant aux King Tones, ils présentaient tous les attributs d'un cauchemar imminent : l'un d'eux avait des écrous à ailettes dans les cheveux tandis que l'autre sentait le white spirit à plein nez. Il devait se poser la question : un autre client à problèmes risquerait-il de neutraliser les effets du Prozac pour refaire de lui un automate ?

« King Cobra, Kaiser Wilhelm et Imperial Decree, dit Bettina.

– King Cobra… Kaiser Wilhelm… et Imperial Decree… » Boykins avait ouvert son calepin et y notait les noms de sa petite écriture précise.

Puis il leva les yeux vers les enfants assis sur le canapé. « Et eux, qui sont-ils ?

– On est les Minus, répondit Minus Un, la bouche pleine.

– Vous les verrez souvent ici », précisa Bettina, qui s'en était entichée. Leurs petits visages hargneux, leurs petits regards paranoïaques et leurs brillants petits cerveaux avaient eu raison de son petit cœur. En les regardant, elle se sentait désormais envahie d'émotions dignes d'une mère poule. Deux petits prodiges, posés sur un nuage.

Les King Tones se mirent à chanter, pour le plus grand bonheur de l'ours qui les regardait. Les gens mangeaient du gâteau et ses nouveaux amis étaient désormais dotés de tout ce dont n'importe quel être humain avait besoin : un agent et une attachée de presse.

Vinal Pinette marchait seul dans les bois, à travers les flocons tournoyant. Arrivé en haut du versant abrupt, mettant prudemment un pied devant l'autre, il descendit lentement jusqu'à la grotte.

Le temps était lumineux et sans un souffle de vent, un geai passa à tire-d'aile, perçant l'air de son cri avant de descendre vers la vallée. Pinette écarta les branches de pin qui dissimulaient l'entrée de la grotte et se glissa à l'intérieur.

Arthur Bramhall se trouvait au fond, dans l'obscurité, recroquevillé sur un lit d'herbes et de branches. Les parois de la grotte étaient constellées de givre. Regardant Bramhall respirer, Pinette fut stupéfié par la profondeur de son sommeil. « Je savais que vous étiez un dur, Art, et maintenant j'en ai la preuve. »

Pinette s'accroupit afin de tenir compagnie à son ami.

« Il est là ? » s'enquit une voix derrière lui.

Se retournant, il aperçut la femme à fourrure qui se tenait devant l'entrée.

« Ouaip, dit-il en ressortant.

— Il ne risque pas de mourir de froid ?

— Il a trouvé son rythme. Si on le rompt, il se peut qu'il crève. En tout cas, c'est comme ça que je vois les choses. » Pinette se débarrassa de la neige sur la visière de sa casquette et la rajusta. « Ils disent qu'un esquimau peut dormir des mois pelotonné dans son igloo. Certains s'en sortent, d'autres pas. »

La femme à fourrure tenait Vinal Pinette en haute estime, elle le voyait comme un vieux sage qui connaissait les usages de la forêt. « Il s'est lancé dans une quête spirituelle, c'est ça ?

– Peu importe dans quoi il s'est lancé, chuis pas là pour m'en mêler. Pas quand un homme a trouvé son rythme. »

Pinette et la femme à fourrure repartirent ensemble à travers bois, le long d'un sentier qui disparaissait rapidement sous la neige.

L'ours n'était guère à l'aise lors de ses apparitions dans les talk-shows matinaux des grandes chaînes nationales. Il ne comprenait pas tout à fait ce qu'était un studio de télévision, et chacune de ses visites l'emplissait d'angoisse. Mais Bill Degom avait été impressionné : pas une seule fois au cours de leur interview Dan Flakes n'avait mentionné le titre de son livre. Pour Degom, c'était la marque d'un véritable artiste, qui ne ressentait pas le besoin de mettre son travail en avant; en fait, l'ours avait tout bonnement oublié le titre. Pour l'interview d'Harris Smith dans l'émission *Ce Matin*, sur CBS, Bettina l'avait fait inscrire sur sa manche de chemise, dont il ne décolla pas le regard de tout l'entretien, appelant du coup le roman *Manche de chemise*. Non sans appréhension, Bettina l'envoya à Boston par la navette aérienne.

Je suis le premier ours à prendre l'avion, songea l'ours en contemplant la terre très loin au-dessous de lui. Le fauteuil est un peu étroit, mais ils servent des cacahuètes. Tout ce dont un ours a besoin dans les moments difficiles.

À son arrivée au terminal de Boston, une femme rondelette l'attendait, un exemplaire de son livre à la main. « Bonjour, je suis Julie Moody, c'est moi qui m'occuperai de vous pendant votre séjour ici. » L'ours la suivit sans se faire prier. Tout à fait mon type de femme. Silhouette d'ourse. À l'odeur, je dirais qu'elle a quarante-deux ans.

Quand ils eurent récupéré ses bagages, ils sortirent du terminal pour rejoindre le parking. « Je dois vous amener directement à votre premier entretien. Ensuite, vous avez une pause qui vous permettra d'aller vous installer à l'hôtel. Ma voiture est là. »

Elle lui ouvrit la portière et il monta.

« J'adore votre livre, dit Mme Moody en s'installant derrière le volant. C'est tellement romantique. » Elle lui jeta un regard en coin. « Tout est inventé ?

– Je l'ai trouvé sous un arbre.

– Là où tombe la foudre, acquiesça Mme Moody en essayant de se frayer un chemin à travers la circulation dense du terminal. « Dieu du ciel, quelle pagaille, et vous avez une interview en direct. Vous croyez qu'on peut tenter par là ? »

D'un coup de volant, elle quitta la route et s'engagea dans une zone en chantier interdite aux véhicules non autorisés, slalomant entre les engins de terrassement et les ouvriers qui agitaient frénétiquement des drapeaux en hurlant sur son passage. Les saluant d'un geste de la main, elle traversa le chantier et récupéra la route bien au-delà du bouchon. Elle jeta subrepticement un autre regard vers son romancier. « La façon dont vous abordez la nature, c'est tellement beau », dit-elle dans un soupir. Elle roulait maintenant à vive allure sur l'autoroute qui menait à Boston. Tandis qu'elle jouait adroitement avec les pédales de frein et d'accélérateur, sa jupe remontait au-dessus de ses genoux. La variété de jambes chez les femelles humaines est remarquable, songea l'ours. Les ourses ont plus ou moins toutes les mêmes formes floues.

Fermant les yeux, il huma les nombreuses odeurs provocantes de Mme Moody, concentrées dans l'espace confiné de sa voiture. Mme Moody fut envahie d'une étrange sensation, comme si elle conduisait nue. *Mon Dieu!* se dit-elle, en abaissant sa vitre.

Une fois dans Boston, ils se frayèrent un chemin dans la circulation pour gagner le studio de télévision. L'ours, confortablement assis, ne disait mot, il regardait les gens avec curiosité et admirait les jambes de Mme Moody. Cela ne faisait pour lui aucun doute : il aimait regarder les gens et les jambes de Mme Moody tandis qu'elle conduisait, son esprit était comme un lac paisible où se reflétaient des images éphémères.

« Vous êtes bien silencieux, remarqua Mme Moody. Vous aimez méditer avant une interview ?

– Qu'est-ce qu'une interview ?

– C'est bien d'être un peu blasé. Mais faites attention à ne pas perdre votre spontanéité. Je l'ai vu arriver à tellement d'auteurs. Après quelques douzaines d'entretiens, ils commencent à donner les mêmes réponses aux mêmes questions, et la fraîcheur disparaît. »

Ne comprenant rien à ce qu'elle racontait, l'ours se tourna vers la vitre. Il lui semblait que la compréhension entre les êtres humains était comme un filet auquel on rajoutait sans cesse des mailles, et il s'imaginait un être humain tissant agilement son filet ; en revanche, quand il imaginait son filet à lui, il se voyait tomber à genoux, vaincu, emmêlé dans ses mailles scintillantes, essayant lamentablement de s'en dépêtrer alors qu'approchaient des silhouettes menaçantes armées de matraques.

Mme Moody se gara dans un parking. L'ours descendit et la suivit à l'intérieur d'un grand bâtiment. Un vigile leur délivra des badges d'identification. L'ours, tout en marchant, caressait doucement le sien. « Dan Flakes », dit-il en contemplant les lettres qui composaient son nom. Il aimait avoir ce badge car cela montrait à tout le monde qu'il avait une identité.

« Par ici, fit Mme Moody, on va attendre dans les loges, ce qu'on appelle *green room*, le salon vert littéralement.

– Il n'est pas vert, remarqua l'ours tandis qu'ils se mettaient à leur aise.

– Le plus souvent non », répondit Mme Moody.

De nouveau, l'ours s'émerveilla de la complexité des êtres humains, qui disaient qu'une pièce était verte quand elle ne l'était pas. Quel sens donner à cela ?

Un jeune homme entra dans la pièce verte qui ne l'était pas : « Vous êtes Dan Flakes ? »

L'ours désigna le badge épinglé au revers de sa veste. Le jeune homme tendit la main. « Je suis Scott Emery, assistant de production. On sera à l'antenne dans cinq minutes environ. Je peux vous offrir quelque chose ?

– Popcorn », demanda l'ours qui confondait souvent passer à la télé et regarder la télé. Parce qu'il était un ours.

« Je ne crois pas que nous ayons ça, répondit Scott Emery. On a des paquets de Super Tartes, par contre.

– Parfait », répondit l'ours.

Scott Emery s'éloigna et revint quelques instants plus tard avec un sachet. « J'espère que ça va vous permettre de vous détendre. Je reviens dès que tout est prêt. » Il alluma un écran accroché au mur de la pièce, qui diffusait l'interview en cours – un médecin discutant des dernières techniques chirurgicales.

L'ours grignotait ses tartelettes au fromage avec contentement, impressionnant Mme Moody par son calme. Comme les auteurs n'avaient droit pour finir qu'à un tout petit temps d'antenne, leurs attachés de presse insistaient sur le fait que chaque mot comptait, qu'il fallait qu'ils privilégient les petites phrases prémâchées. Si bien que juste avant l'émission, au moment de les réviser, les jeunes auteurs surtout se laissaient envahir par le trac. Mais pas l'ours. À cet instant, les seules choses que l'ours songeait à mâcher étaient les tartes qu'il sortait de leur sachet.

Scott Emery vint leur annoncer qu'ils étaient prêts à le recevoir. L'ours suivit Emery sur un plateau où le décor était disposé autour d'un âtre. La présentatrice était installée dans l'un des fauteuils qui se trouvaient à côté. *Désir et Destinée* était posé devant elle, sa couverture rougeoyant dans la lueur des flammes.

« Dan, fit Scott Emery, si vous voulez bien vous asseoir dans ce fauteuil face à Sandy… »

L'ours obéit et Sandy Kincaid lui sourit. « J'ai vraiment aimé votre livre. Nous allons en dire du bien.

— Je suis Dan Flakes, répondit-il en désignant son badge.

— Oui, fit Scott Emery, débarrassons-nous de ça, d'accord, et remplaçons-le par un micro. »

Un ingénieur du son accrocha un micro au revers de la veste de l'ours avant de retourner à sa table de mixage. « Vous pouvez dire quelque chose, s'il vous plaît?

— Dans ton cul », dit l'ours et le technicien se mit à glousser. « C'est bon, j'ai un niveau. »

Scott Emery s'adressa à l'ours : « Une fois à l'antenne, parlez en regardant Sandy. »

On alluma les projecteurs, baignant l'ours et la présentatrice dans une lumière vive. Sur le plateau voisin, le chirurgien terminait tout juste son interview, que l'on entendait à présent dans les enceintes du studio. «… J'aimerais clore mon propos en disant qu'avec la chirurgie laser, l'ablation de la vessie est devenue un jeu d'enfant. »

L'ablation de la vessie? L'ours leva les yeux vers les lumières aveuglantes. Derrière elles, l'obscurité semblait s'étendre, comme s'il se trouvait dans une grotte gigantesque contrôlée par des créatures aux redoutables yeux de feu.

Une voix s'éleva dans les ténèbres : « Dans une minute… »
L'ours se redressa dans son fauteuil. On l'avait piégé ! Ils allaient lui voler sa vessie et la mettre en bouteille !

« Dan, s'il vous plaît, fit Scott Emery, on n'a que trente secondes… »

L'ours laissa échapper un rugissement qui fit bondir l'aiguille du VU-mètre dans le rouge, contraignant l'ingénieur du son au supplice à empoigner les écouteurs de son casque. Scott Emery souffla à ses caméramans de se tenir prêts. Si son équipe parvenait à gérer une crise de nerfs avec dignité, le jeune producteur qu'il était aurait droit à une jolie petite récompense du responsable de la chaîne. « Je l'ai, fit le technicien de la caméra un, en pivotant rapidement pour ne rien perdre des gestes incohérents de l'invité, lequel venait de soulever Scott Emery et le secouait au-dessus du sol.

« Vingt secondes… »

Sandy Kincaid regardait, fascinée. Un auteur phare agressant un assistant de production en direct pourrait aider à faire remonter son audimat. Les gens se plaignaient qu'elle était trop gentille. Eh bien, elle allait leur montrer. Affichant sa tête-de-journaliste-la-plus-sérieuse, elle se prépara à offrir à Boston toute la rudesse du matin à l'instant où l'ours envoya Scott Emery valdinguer hors-champ sur une table, au beau milieu des derniers modèles de robots ménagers électroniques.

Mme Moody se rua sur le plateau et, arrivée dans le dos de Dan Flakes, le caressa doucement derrière les oreilles. « Dan, c'est Julie, dit-elle d'une voix calme. Tenez, vos Super Tartes. »

Elle avait élevé cinq enfants et accompagné mille deux cents auteurs d'interview en interview, sans jamais encore en perdre un seul. Elle laissa glisser ses mains vers les épaules massives de l'ours, les caressa. « Tout va bien, Dan. Asseyez-vous et mangez vos tartes. Cette aimable dame veut simplement vous poser quelques questions, puis je vous raccompagnerai à votre hôtel.

– Cinq, quatre, trois… »

L'ours se rassit.

« Je suis tout près », lui souffla Mme Moody en reculant derrière les caméras. L'ours fixa l'obscurité menaçante. Il huma l'air, l'odeur de Mme Moody était toujours là. Cette familiarité l'apaisa, tout comme les Super Tartes. Il se tourna vers la jeune femme baignée de lumière et la renifla.

« J'accueille aujourd'hui Monsieur Dan Flakes, auteur du best-seller *Désir et Destinée*, un livre que tout le monde semble adorer, aussi bien les critiques que le public. Je viens moi-même de le terminer et je l'ai trouvé d'une fraîcheur merveilleuse ; pourtant, étonnamment, il parvient aussi par ailleurs à réaffirmer certaines valeurs très importantes. Dan, bonjour.

– Je suis Dan Flakes.

– En effet, c'est bien vous, répondit Sandy Kincaid avec un sourire guilleret, tout en essayant de sonder ce dingue. Elle n'avait aucune envie qu'il s'en prenne à elle en direct maintenant, peu importe si cela pouvait ou non servir l'audimat. « De toute évidence, vous en connaissez un rayon sur les grands espaces – les scènes de pêche sont fantastiques – mais vous connaissez aussi les femmes, Dan. Comment un homme tel que vous, qui s'est tenu à l'écart de la civilisation, peut-il faire preuve d'autant de sagesse concernant la vie intérieure du sexe opposé ? »

L'ours avala sa dernière Super Tarte, avant de fourrer son museau au fond du sachet. Puis il leva les yeux vers la jolie jeune femme assise face à lui. Il sentait des mots bouillonner à l'intérieur de son corps, comme s'il était contaminé par le style vif et pétillant de Sandy Kincaid. À sa grande surprise, les mots commencèrent à monter vivement à sa bouche, comme autant de bulles pétillantes. « Quand je vivais dans les bois, je ne le faisais qu'une fois par an. »

Sandy Kincaid cilla, rougit et poursuivit, insistante. « Le degré de tendresse que vous avez créé dans cette atmosphère champêtre est l'une des choses sur lesquelles les critiques s'extasient. Ce qui m'amène à cette question : êtes-vous en train de dire que la tendresse est impossible en ville, dans notre vie pressée ? La tendresse sexuelle a-t-elle plus de chances d'exister entre deux êtres dans un cadre paisible et bucolique ? »

L'ours carra sa longue langue dans le sachet de Super Tartes et lécha tout le sel. « Quand je le faisais dans la forêt, si je ne me méfiais pas, je pouvais me faire méchamment malmener. »

Sandy Kincaid jeta un regard nerveux à Scott Emery derrière l'ours, qui bien qu'ayant été jeté au beau milieu de robots ménagers électroniques, l'encourageait par gestes à poursuivre l'interview. Les caméramans souriaient et les autres employés du studio, d'habitude à moitié assoupis, tendaient tous l'oreille.

L'ours croisa ses grosses jambes et retourna le sac pour le lécher plus consciencieusement. De nouveau les mots pétillèrent à ses lèvres. « Je devais vraiment m'agripper derrière elles, sans quoi ces femelles m'auraient mis en charpie. »

On voyait à son regard que Sandy Kincaid ne savait pas trop comment rebondir. « Sommes-nous en train de parler d'une femme en particulier ? Pour votre héroïne, je veux dire, vous êtes-vous appuyé sur un modèle ?

— Nous parlons d'une grosse ourse sauvage.

— Sauvage… oui, je suppose qu'elle a pu l'être, réagit Sandy Kincaid avec un rire nerveux.

— Maintenant que j'habite en ville, je le fais plus souvent, mais c'est moins risqué. »

Sandy Kincaid passa alors à sa voix politiquement correcte. « Nous sommes tous convaincus de l'importance des rapports protégés.

– Une ourse en chaleur est susceptible », expliqua l'ours.

Le réalisateur se tourna vers son assistant. « Hein ?

– Dan, continua Sandy Kincaid, poursuivant vaillamment, vous êtes devenu une star du jour au lendemain. Vous sentez-vous changé ?

– Je me suis changé ce matin », répondit l'ours en ouvrant sa veste de costume pour tirer sur l'élastique de son caleçon.

Baissant les yeux vers le livre, Sandy Kincaid tenta de mettre de l'ordre dans les pensées qui se bousculaient à grande vitesse dans sa tête. « Si vous pouviez résumer vos impressions de la vie urbaine en un ou deux mots…

– Super Tartes, lança alors l'ours en brandissant le sachet vide dans l'espoir d'en avoir davantage.

– Voulez-vous dire que les valeurs urbaines sont tartes parce que tout est devenu du commerce ? Mais c'est ainsi qu'une société civilisée fonctionne. N'est-ce pas légèrement injuste de votre part de nous tendre le miroir de la vie champêtre en nous assénant que c'est ainsi qu'il faut vivre ? La vie moderne est tarte par nécessité.

– Vous n'aimez pas ?

– Je ne porte pas de jugement. Je dis que le côté tarte est inévitable. » Sandy Kincaid se sentait maintenant un peu plus sûre d'elle. Elle avait des opinions politiques fortes, qu'elle tenait des dépêches envoyées par l'agence de presse à laquelle sa chaîne était abonnée. « Ce que je dis, c'est qu'on n'a pas le choix, on est coincés. »

L'ours plissa les yeux en direction des projecteurs. Parler autant lui avait creusé l'appétit. « Super Tartes, exigea l'ours.

– Je comprends votre point de vue, nous sommes devenus des consuméristes avides, fit Sandy Kincaid, espérant que l'interview trouve enfin son rythme. Mais nous ne pouvons pas tout simplement retourner dans les bois et nous comporter comme les gens dans votre livre.

– C'est mon livre, rétorqua l'ours agressivement.

– Oui, certainement, et vous avez le droit dans ces pages de faire comme bon vous semble, mais une œuvre de fiction peut-elle prétendre changer une société ? » Maintenant qu'ils étaient à l'abri, perdus dans des abstractions vides de sens, Sandy Kincaid espérait se détendre un peu.

« Du sexe et de la pizza, dit l'ours.

– Mais, Dan, n'est-il pas un peu facile de décrire l'Amérique comme un pays désespérément enlisé dans le "sexe et la pizza", comme vous dites ?

– Vos jambes luisent vraiment », remarqua l'ours, contemplant le lustre des chevilles de la jeune femme, ses mollets et le bout de cuisses qui brillaient sous les projecteurs.

« On zoome sur les jambes, ordonna le réalisateur depuis sa cabine de contrôle et, alors que la caméra basculait vers l'avant, il ajouta : « J'aime bien ce cinglé. Qui est-ce ? »

Sandy Kincaid, qui ne savait plus où elle voulait en venir, conclut par un : « Ainsi s'achève ma conversation avec Dan Flakes, auteur de *Désir et Destinée*.

– Dan Flakes, c'est moi », fit l'ours.

Bettina, qui regardait l'émission diffusée par satellite depuis son bureau à New York, se tourna vers Elliot Gadson et dit : « Traitez-moi de folle si vous voulez. Mais il est né pour faire de la télé.

– Ce n'est pas forcément ainsi que je le décrirais, répondit Elliot Gadson. Mais un type comme lui ne s'oublie pas. »

Après l'interview, Mme Moody accompagna l'ours au Ritz Carlton. La voiture s'était à peine arrêtée qu'un portier en haut-de-forme et gants blancs aux mouvements de marionnette vint ouvrir la portière. L'ours descendit sans se presser.

« Bonjour monsieur, dit-il, accompagnant ses propos d'un geste sec en direction de la porte. « Après vous, je vous en prie, je m'occupe des bagages. » Mme Moody conduisit son auteur jusqu'à la réception. « Voici Monsieur Flakes », dit-elle à la jeune femme derrière le comptoir.

La réceptionniste adressa à l'ours un sourire de bienvenue. « Vous êtes chambre numéro 32, Monsieur Flakes, face au parc. » Elle lui tendit la clé. « Profitez bien de votre séjour. »

À côté du comptoir de la réception, le concierge prenait en charge les demandes émanant des clients de l'hôtel. L'ours reniflait le lobby, et le concierge le reniflait lui, métaphoriquement parlant ; le concierge flairait l'argent, et la façon dont il traitait un client dépendait de la puissance de cette odeur. Un gros éleveur de bétail sud-américain, petit, râblé, à l'autorité agressive, odeur de riche ; le PDG émacié d'une banque d'affaires, grand, spectral, odeur de riche ; le vice-président des États-Unis, installé en ce moment même dans la plus grande suite de l'hôtel, odeur de riche. Quant à ce nouveau gentleman, qu'il observait du coin de l'œil, il ne savait trop qu'en penser. Son costume était de bonne facture et lui seyait à la perfection ; mais la cravate, clairement, le laissait perplexe. Avec son large torse et sa grosse tête, il avait du charisme, mais il y avait quelque chose d'exagéré dans sa posture, comme s'il la forçait. Les aristocrates, issus de vieilles familles fortunées, n'exagéraient jamais leur maintien, la raideur de leur allure renforcée par les têtes de ceux que leurs ancêtres avaient envoyés six pieds sous terre. Pourtant, cet homme imposant dégageait bel et bien quelque chose de très ancien. Alors qu'il étudiait l'ours qui traversait le lobby en direction de l'ascenseur, le concierge était loin de deviner qu'il était issu de la plus vieille famille d'Amérique, présente sur le territoire depuis trente millions d'années. Il décida qu'il valait mieux le classer, jusqu'à ce qu'il puisse en savoir plus, dans la catégorie de ceux qui *ressemblaient* à des aristocrates.

« Je monte avec vous afin de m'assurer que tout va bien ? » proposa Mme Moody. Elle pénétra dans l'ascenseur avec l'ours, et le liftier en gants blancs ferma la porte. Le parfum qui envahissait la cabine était un mélange exclusif de l'hôtel, destiné à faire en sorte que les habitués se sentent saisis comme par une étreinte familière au moment où ils montaient retrouver leur chambre. Quant aux nouveaux clients tels que Monsieur Flakes, ils savaient ainsi dès l'abord à quel point ils allaient se sentir chez eux. L'ours renifla d'un air appréciateur. Ils vous donnent une clé et vous disent où aller. Les éléments d'incertitude, si prompts à décontenancer une bête, sont éliminés.

« Deuxième étage, attention en descendant, je vous prie. » Passant la première dans le couloir, Mme Moody désigna obligeamment une plaque en laiton sur une porte et l'ouvrit. Tout un pan de mur vitré de la vaste pièce donnait sur le parc. La chambre était meublée de reproductions d'antiquités françaises – un bureau aux courbes élégantes, un secrétaire, deux fauteuils capitonnés et un grand lit confortable. Assez grand pour accueillir plusieurs ours.

« Votre prochaine interview n'est pas avant midi. Vous avez du temps pour vous reposer un peu. » Mme Moody ouvrit un bar réfrigéré avec la clé de la chambre.

Tout excité, l'ours y plongea le nez et en sortit les divers amuse-gueules qui s'y trouvaient, ainsi qu'une bouteille de champagne.

« Vous avez faim ? s'enquit Mme Moody. Appelez la réception. » Elle lui tendit le menu du room service.

Il constata avec plaisir qu'ils proposaient de la volaille, de beaux morceaux de vache et du saumon. « Un de chaque », dit-il avant de s'étendre sur le lit.

Un brin surprise, Mme Moody hésita sur le seuil, avec la sensation que sa présence pourrait peut-être continuer d'être bénéfique à son jeune auteur. Elle sentait en lui quelque chose de vaguement inexpérimenté et tenait à s'assurer qu'il était à son aise. « Si vous avez besoin qu'on vous lave votre linge, appelez la réception, ils enverront quelqu'un le chercher.

– Je change de slip tous les jours », répondit fièrement l'ours.

Le repas de l'ours lui arriva sur une table à roulettes couverte d'une nappe blanche, avec un chauffe-plats en dessous, d'où l'on sortit ses trois commandes. « Vous attendez des convives, monsieur ? demanda le garçon.

– Il n'y a que moi », sourit l'ours en calant un coin de sa serviette dans son col. Il tendit au garçon un billet de cent dollars en guise de pourboire parce qu'il aimait voir les gens heureux et parce qu'il voulait que tout continue à bien se passer sur le plan des repas.

« Bon appétit, monsieur », lui dit le garçon avec sincérité.

L'ours s'attabla près des fenêtres, le regard perdu sur le parc. Il y avait du canard rôti dans son assiette et des canards nageaient dans la mare au-dehors. Il approuva d'un hochement de tête. Très pratique. Il leur suffit de traverser pour aller en tuer un. Devrais-je leur proposer mon aide ? se demanda-t-il. Je le suggérerai plus tard.

Les ours étant des créatures sympathiques mais solitaires, il était satisfait de prendre son repas seul ainsi, installé dans un fauteuil confortable. Il savait à présent que les pensées aigres-douces sur sa vie en forêt qui l'envahissaient parfois étaient des aberrations et ne servaient qu'à saper son bonheur présent. Un ours devait vivre dans l'instant. Il termina un premier repas, rota doucement, et s'attaqua au second. Un omnivore en tournée, qui digérait gentiment.

Le téléphone sonna et il tendit la patte.

« *Dan, c'est Bettina. Comment ça va? Vous êtes bien installé?*

— Bien sûr.

— *J'ai vu votre interview avec Sandy Kincaid. Vous étiez fantastique.*

— Ils lavent mes slips.

— *Quoi?*

— Quand ils sont sales, ils les lavent. Eh bien, au revoir. »

Il avala plusieurs desserts puis fit lentement pivoter son fauteuil vers l'intérieur de la pièce. Il appréciait que le ménage fût si bien fait. Quand vient l'heure de la sieste, des draps bien propres valent sans conteste toutes les litières de branchages.

Il se leva, s'étira sur le lit et ferma les yeux. Une pesanteur agréable s'empara de lui, la langueur peuplée de rêves de l'ours au repos. Il vit de petites bouteilles de champagne scintillantes danser derrière ses paupières, et dans un tourbillon leurs silhouettes transparentes pleines de liquide pétillant l'embarquèrent vers le sommeil.

Arthur Bramhall dormait dans sa tanière. Il rêvait. Il rêvait d'ours ; leurs imposantes silhouettes sombres se frottaient contre lui, puis l'emmenaient sur des sentiers forestiers.

« *Je suis en bas*, dit une voix de femme.

– Je suis en haut.

– *Dan, c'est Julie Moody. Il est l'heure de vous rendre à votre prochaine interview. Vous avez besoin d'aide pour vous préparer ?*

– Je sais lacer mes chaussures », répondit l'ours avec dignité avant de raccrocher. Croit-elle donc qu'un ours ne peut pas s'habiller seul ?

Braguette remontée. Et maintenant la cravate à clip, quel dispositif astucieux ! L'homme qui a inventé ça était un génie.

Clés, argent, barre chocolatée. Je suis prêt.

Laissant quelques coups de griffes dans le papier peint pour marquer son territoire, l'ours quitta la chambre.

« Dan, vous êtes génial », dit Rick Rover, l'animateur baratineur d'*En route avec Rover*, une émission de radio bostonienne diffusée à l'heure de pointe sur la plus grosse station du nord-est du pays. « Je suis sérieux, vous êtes une bouffée d'air frais sur les ondes. Bon, une petite pause météo et je serai de retour en compagnie de mon invité, Dan Flakes, l'auteur de *Désir et Destinée*. » Rick Rover ôta son casque stéréo et fit pivoter son fauteuil vers l'ours. « Le central téléphonique clignote. Tous ces gens qui veulent te parler, mec ! » Rover renifla prestement l'intérieur de sa manche de chemise, où il stockait sa ration quotidienne de cocaïne. Quand les diamants lui montèrent au cerveau, son esprit fila comme un bolide dans des zones de discours si véloces que personne, pas même lui, ne pouvait suivre, si bien qu'il se tut un instant. Le bulletin météo terminé, il fit signe de lancer la pub et rechaussa son casque. Assis en face de lui, devant un autre micro, l'ours ne comprenait que vaguement le rôle qu'il jouait dans cette émission de grande écoute. Mais il était profondément impressionné par la vitesse à laquelle Rick Rover s'exprimait. Il désirait ardemment pouvoir parler ainsi, sentir les mots danser sur le bout de sa langue, les envoyer tournoyer dans les airs, légers, prompts, en un flot bouillonnant.

« Re-bonjour tout le monde, vous êtes en route avec Rover et il est l'heure. Mon invité ce soir, Dan Flakes, pour son roman *Désir et Destinée*, un écrivain fantastique, un penseur original, je crois que vous serez d'accord avec moi. Dan, simple question, d'avance pardonnez-moi : qu'est-ce qui vous a poussé à écrire ? »

L'ours voulait désespérément égaler l'éclat avec lequel Rover parlait, il voulait pétiller et bouillonner, danser dans la fontaine des phonèmes, si bien qu'il fit de son mieux pour se rappeler ce qui l'avait véritablement poussé à écrire, ce qui au tout début l'avait entraîné vers l'humanité. « Les poubelles », répondit-il.

Rover aimait les réponses mordantes, brèves, car la balle revenait aussitôt dans son camp et Rover était né pour parler : « Observant le monde autour de vous, vous avez vu que tout était bon pour la poubelle, alors vous vous êtes dit *Je peux faire mieux*. Pas surprenant. Et puis ?

— Un homme a posé un livre sous un arbre.

— Simple et poétique. Et vous étiez cet homme.

— J'observais la scène.

— Ah oui. Votre livre offre certaines des observations les plus saisissantes que j'aie jamais vues. Ce livre est un manuel pour tous ceux qui se sentent perdus dans les relations entre les sexes, et c'est sans conteste l'une des raisons pour lesquelles il connaît un tel succès. J'ai d'ailleurs quelqu'un en ligne qui veut en parler. Chère auditrice, c'est à vous ! Tous en route avec Rover !

– Oui, je m'appelle Marcia. Je n'ai pas lu le livre. Vous dites que c'est un manuel de sexualité ?

– D'une certaine façon, Marcia, répondit Rick Rover. Quelle est votre question ?

– Je veux savoir si votre invité pense que les gens qui vivent à la campagne ont de meilleurs orgasmes. Parce que je me disais que je devrais peut-être aller m'y installer.

– Je ne crois pas qu'ils aient un moyen de mesurer ce genre de chose, Marcia, mais posons la question à notre invité. Dan, qu'en pensez-vous ? »

L'ours se pencha vers son micro. Comme il ne savait pas de quoi ils parlaient, il dit : « Bonbons.

– Dans le mille, Dan ! C'est toujours bon comme des bonbons, où que l'on soit », s'exclama Rick Rover. « Bonne chance avec votre déménagement, Marcia. » Rover adressa à son invité taiseux un sourire reconnaissant. Ce type avait compris qui était la star de l'émission.

À New York, Bettina avait allumé le poste de radio de son bureau. Elle se tourna vers Gadson. « Quel phénomène ce Dan, tout de même !

– Les ventes crèvent les plafonds, je ne vais pas le nier. »

Bettina faisait les cent pas devant la fenêtre, les yeux sur les gratte-ciels de l'East Side qui se découpaient sur l'horizon. « Il fait tomber les barrières qui nous inhibent tous et nous empêchent de communiquer.

– C'est sûr qu'on ne peut pas dire qu'il soit inhibé.

– Mais il reste modeste. C'est pour cela qu'il s'en sort si bien. Il n'effraie pas les gens avec des idées compliquées.

– Longtemps j'ai cru qu'il souffrait de lésions cérébrales », avoua Gadson.

Vinal Pinette était assis devant le poêle de son salon, les yeux rivés sur les flammes qui dansaient derrière la vitre. Son chien était allongé à côté de lui, menton sur les pattes, la queue battant comme un métronome.

« C'est pas bon de jouer avec la nature », remarqua Pinette.

Le chien leva la tête, attiré par les biscuits à la mélasse que Pinette trempait dans son thé. Il remarqua qu'il en restait dans une assiette posée non loin, et un biscuit, là tout de suite, serait appréciable. Mais si rien ne venait, il se lécherait de nouveau les couilles, geste qui avait toujours sur lui un effet apaisant.

« On n'a plus qu'à attendre et on verra bien », fit Pinette en portant le biscuit détrempé à ses lèvres.

Le chien se mit à battre plus fort de la queue, adressant à son maître son regard le plus éloquent, celui qui disait « biscuit » sans la moindre méprise possible.

Se tournant vers la fenêtre, Pinette contempla les tourbillons de neige qui commençaient à ensevelir les épaves de voitures dans son champ. Art Bramhall lui manquait, leurs conversations près du poêle lui manquaient, regarder passer en sa compagnie la lente procession des journées hivernales lui manquait. « Art est un type bien. J'espère qu'on va le revoir. »

Le biscuit est l'aliment naturel des chiens, fit le chien, en appuyant son propos d'un regard pathétique destiné à montrer quel effet pitoyable la privation avait sur son organisme.

« Tu en as déjà eu quatre », rétorqua Pinette.

C'est l'hiver, je suis un chien ; seules deux choses me permettent de tenir : mes couilles que je lèche et l'amour des biscuits.

Pinette en prit un dans l'assiette qu'il jeta dans sa direction et en un éclair, le morceau marron se trouva prisonnier des mâchoires du chien. Et fut englouti d'un trait.

Quel dommage que je ne puisse pas ralentir les choses, songeait le chien en fixant le sol. Si je cassais le biscuit en petits morceaux, je pourrais savourer l'expérience. Mais je ne sais pas pourquoi, dans la passion du moment, je ne me contrôle plus.

« Les types du Secret Service », glissa le liftier du Ritz Carlton à l'ours, en attirant son attention sur les hommes à la mine sévère vêtus de costumes sombres qui se tenaient raides dans le lobby de l'hôtel. Humant l'air dans leur direction, l'ours sentit la tension qui dégoulinait le long de leurs aisselles.

Il tourna le regard vers la rue. Des gens criaient en brandissant des pancartes, et cela le rendait nerveux. Il était content de retourner dans sa chambre, mais alors qu'il s'apprêtait à monter dans l'ascenseur, l'ascenseur voisin s'ouvrit et un mâle dominant en sortit. Tout le monde dans le lobby se tourna vers lui.

« Bonne journée, Monsieur le Vice-président », dit le liftier.

Le vice-président souhaita la même chose au liftier. Il était entouré de son état-major et d'hommes politiques de Boston. Sentant l'odeur de l'adrénaline, l'ours remarqua que les gens s'empressaient autour du vice-président comme des écureuils à bout de nerfs défendant leurs noisettes.

L'ours ne savait pas ce qu'était un vice-président. Parce qu'il était un ours. Il se demanda s'il devait mettre ce mâle dominant au défi. Peut-être en l'empoignant pour le secouer un peu, juste pour qu'il ne subsiste aucun doute sur l'identité de l'ours qui régnait sur ce lobby. Mais il y a assez de femelles ici pour tout le monde, se dit-il avec clémence en regardant les femmes prendre des poses et envoyer des signaux au vice-président avec leurs yeux, leurs lèvres, leurs doigts en vue d'un accouplement. Elles portaient de jolis manteaux et leurs cheveux brillaient et sentaient bon, leurs jambes aussi brillaient, mais je me suis déjà accouplé deux fois cette année après tout. Je vais céder la place à cet autre mâle dominant.

Cette largesse accordée, il se retourna vers l'ascenseur. Mais de nouveau, une autre puissante odeur lui parvint aux narines, une odeur semblable à celle d'un coyote traquant sa proie. Faisant volte-face, il huma l'air. Triant les différents courants olfactifs qui circulaient dans le lobby, il détermina que l'odeur de coyote provenait d'un mâle qui descendait l'escalier du salon de thé du premier étage. L'ours l'observa avec attention, car cette puanteur annonçait une mise à mort imminente.

L'hôtel, où il avait passé une journée et une nuit, était désormais son territoire ; et si l'idée de partager les femmes avec un autre mâle dominant ne le dérangeait pas outre mesure, il lui était impossible d'accepter sans réagir toute démonstration manifeste d'agressivité. Cet hôtel lui plaisait, la cuisine y était bonne et ils avaient lavé ses slips avant de les rendre joliment pliés dans un sac en plastique. Si quelqu'un ici devait se montrer agressif, ce serait lui.

Arrivé au bas des marches, le mâle menaçant se dirigea vers le vice-président. Il s'appelait Wilfred Gagunkas et s'apprêtait à se faire exploser, emportant le vice-président avec lui. Ce désir altruiste qu'avait Gagunkas de mourir, en emmenant tous les gens présents dans le lobby, était motivé par une terrible information, une information selon laquelle on était en train de convertir une ancienne gare ferroviaire de Boston en crématorium géant afin de se débarrasser de ces hommes, de ces femmes et de ces enfants innocents qui résistaient à l'invasion du Monde Unique. Les troupes de l'ONU avaient déjà marqué les panneaux de signalisation dans Boston et ses environs à l'aide d'autocollants : orange pour la confiscation d'installations alentour, bleus pour les zones de crémation, verts pour les aires d'atterrissage des hélicoptères. Gagunkas conservait, roulé dans sa poche arrière, un exemplaire du dernier numéro du *Constitutionnaliste*, qui recelait des informations vitales sur les tremblements de terre en Californie. Gagunkas avait été stupéfié d'apprendre que six des plus gros tremblements de terre de l'histoire récente s'étaient produits en conjonction avec des événements liés à l'avortement ou aux droits des homosexuels.

Le Constitutionnaliste expliquait par ailleurs comment l'administration fiscale bâtissait de gigantesques silos dans le Kansas pour l'incarcération de patriotes américains. Des militaires en uniforme noir avaient reçu l'ordre de tirer à vue sur tout citoyen concerné qui tenterait de s'approcher desdits silos. Par contre, les Rockefeller pouvaient y aller sans aucun problème. Cette information, parmi tant d'autres, circulait dans le cerveau encombré de Gagunkas.

Gagunkas savait avec certitude que les Nations Unies avaient envoyé des soldats russes sur le sol américain et que l'US Air Force dans son ensemble était contrôlée par les Autrichiens. Les gens vous prenaient pour un dingue lorsque vous leur disiez que l'État Policier du Monde Unique était déjà en place, que les Ruskofs se livraient à des manœuvres dans l'Idaho. Il y avait des tanks chinois en Arizona. Les banquiers youpins finançaient un super tunnel qui allait relier la Sibérie et l'Alaska. Un ascenseur secret à l'intérieur de la Maison Blanche s'enfonçait dix-sept étages sous terre, jusqu'au bunker de commandement du Gouvernement du Monde Unique, et le vice-président l'empruntait quotidiennement pour recevoir sa feuille de route.

Maintenant, songea Gagunkas, une explosion pour la liberté. Je vais montrer à ces salopards de libéraux comment meurt un homme, un vrai !

Calmement, l'ours asséna un coup sur la tête de Gagunkas, et Gagunkas s'effondra. Les agents du Secret Service se mirent aussitôt à hurler.

« Incident à une heure ! À couvert, on évacue ! »

Les agents empoignèrent le vice-président, faisant bouclier de leurs corps pour le protéger de la foule et le conduisant vers la sortie. Les membres de l'état-major se jetèrent bravement sous les meubles, tandis que les agents du Secret Service dégainaient leurs armes.

« Par ici », dit l'ours, en désignant Gagunkas.

Plusieurs hommes se précipitèrent et ouvrirent la veste de Gagunkas avec les précautions les plus grandes. « Il est couvert de plastic. Il y a un détonateur à sa ceinture. On a évité la boucherie.

– Mon territoire », expliqua l'ours.

Passant les menottes à Gagunkas toujours au sol et inconscient, les agents du Secret Service appelèrent le service de déminage de la ville.

« Si vous voulez bien venir par ici, monsieur, dit l'un d'eux à l'ours en sortant son calepin. Comment saviez-vous qu'il portait une bombe ? »

L'ours tapota le bout de son museau.

« Vous l'avez flairé ? sourit l'agent. Ça arrive parfois.

– Eh bien, au revoir », dit l'ours en se dirigeant vers l'ascenseur.

À cause de son emploi du temps, le vice-président n'eut pas la possibilité de remercier l'ours en personne. Mais on prit bonne note de son nom, et le lent engrenage administratif se mit en branle.

« Dan a déjoué une tentative d'assassinat contre le vice-président! » s'écria Bettina en faisant irruption dans le bureau de Gadson. Je viens de le voir sur CNN. Bon sang, quel bol! » Bettina passa avec précaution devant la silhouette grandeur nature de Balton Balfour III. « Bien sûr, les journalistes n'ont pas réussi à tirer grand-chose de lui.

– Il a dédramatisé?

– Il avait l'air d'avoir oublié l'incident. Comment peut-on oublier qu'on a sauvé la vie du vice-président?

– Einstein ne prenait jamais les transports en commun, remarqua Gadson. Il oubliait où il allait.

– C'est un peu un Einstein, c'est vrai! Il est un peu sur une autre planète, je veux dire. Je peux sans doute travailler cet angle.

– Il me semble que Dan a travaillé les angles pour vous. »

Arthur Bramhall était plongé dans un profond sommeil que rien ne venait perturber. Tous les jours, Vinal Pinette chaussait ses raquettes et, sans bruit, il venait s'assurer que tout allait bien. La femme à fourrure l'accompagna à quelques reprises, mais sans jamais pénétrer dans la grotte. Elle n'aimait pas empiéter sur l'intimité de qui que ce soit. Même avec ses moutons, elle faisait preuve de circonspection.

L'ours était assis flanqué de grandes piles de son roman, que la librairie de Philadelphie espérait écouler ce jour-là. Cela faisait plaisir aux amateurs de livres de le voir prendre le temps d'écrire clairement son nom, plutôt que de se contenter du trait illisible que certains auteurs traçaient à la va-vite et avec dédain sur la page de titre.

« Est-ce que vous pouvez dédicacer celui-ci à Bob ? demanda la femme qui se tenait maintenant devant lui.

– Vous pouvez me l'épeler ? demanda l'ours.

– Vous épeler quoi ?

– Bob.

– Oh, c'est l'orthographe habituelle », fit la femme en riant. Puis voyant que Dan Flakes attendait, stylo suspendu au-dessus du livre, elle épela, un brin perdue : « B-O-B. »

L'ours, tout en écrivant, articula les lettres en silence, B-O-B, avant d'articuler son prénom : D-A-N.

L'attachée de presse qui l'accompagnait à Philadelphie s'appelait Adele Nofsacker. Quand elle vit avec quelle lenteur il écrivait, Adele, qui était sujette à l'hystérie, sut que le regarder lui serait insupportable et le convainquit de ne signer que son prénom, ce qui lui allait, puisqu'il ne pouvait de toute façon pas faire mieux.

Elle rejoignit le manager à l'avant du magasin, qui rayonnait de voir à quel point les ventes avaient grimpé avec la présence de Flakes. « Son nom s'est répandu comme une traînée de poudre, n'est-ce pas ? Bien sûr, sauver le vice-président n'a pas fait de mal. »

Pendant que le manager discutait avec Adele, un exemplaire de la *New York Times Book Review* leur parvint. Adele se précipita sur la liste des meilleures ventes. Le roman de Dan Flakes occupait la première place.

Apportant le journal à la table de Dan, Adele l'étala devant lui. « Vous avez réussi », dit-elle.

L'ours posa les yeux à l'endroit qu'elle désignait avant de les lever vers elle.

« Vous êtes numéro un, dit-elle.

– Je suis Dan Flakes », corrigea-t-il avec insistance.

La séance de dédicaces se déroula sans souci, tout comme les interviews de l'après-midi. L'ours savait désormais que les projecteurs aveuglants d'un studio de télé ne recelaient aucune menace, que personne ne l'attendait tapi dans l'ombre. Avant chaque interview, il insistait pour qu'on lui procure des sachets de Super Tartes, qu'il mangeait tout en répondant aux questions. Alors qu'il rentrait à l'hôtel Latham en compagnie d'Adele Nofsacker ce soir-là, un homme rondelet portant une mallette l'aborda dans le lobby. « Monsieur Flakes ? »

L'ours jeta un regard plein d'espoir vers la mallette. « Vous avez un roman, là-dedans ? »

Devant le visage déconcerté de l'homme, Adele Nofsacker prit la main. « Monsieur Flakes a eu une longue journée, il a besoin de se reposer. » La vocation sacrée d'Adele était de protéger ses auteurs, ce dont Dan Flakes avait encore plus besoin que la plupart ; le pauvre homme était tellement doux, tellement accommodant qu'il n'aurait jamais un instant à lui si elle laissait les chasseurs d'autographes le traquer jusque dans la nuit.

« Je travaille pour la société qui produit les Super Tartes. Je suis venu faire une offre à Monsieur Flakes. »

L'ours dressa l'oreille. « Vous avez des Super Tartes ? »

L'homme ouvrit sa mallette et tendit un sachet à l'ours. « Nous sommes ravis d'apprendre à quel point vous les appréciez.

– Vous allez devoir prendre contact avec les avocats de Monsieur Flakes, intervint Adele. Dan, venez.

– Je vous en prie, insista l'employé de Super Tartes. Je suis venu spécialement du Wisconsin pour voir Monsieur Flakes. Il peut tout de même me consacrer cinq minutes.

– Demain, fit Adele. Monsieur Flakes est très fatigué.

– Excusez-moi, dit l'homme. Vous êtes ?

– Adele Nofsacker.

– Mademoiselle Nofsacker, je sais que la journée a été longue pour vous deux et je ne veux pas m'imposer. » Il se rapprocha, s'imposant un peu plus, mais l'ours s'éloignait déjà en grignotant le produit, qui ressemblait d'assez près, aussi bien d'un point de vue visuel que chimique, à des œufs au plat en plastique, le centre recouvert d'une couche de colorant jaune fluo. Il appuya sur le bouton de l'ascenseur au moment où le type des Super Tartes arrivait à sa hauteur, Adele Nofsacker de l'autre côté.

« Monsieur Flakes, Super Tartes vous propose de l'argent.

– Appelez-nous demain matin », répondit Adele Nofsacker.

Quand la porte de l'ascenseur s'ouvrit, le type se glissa à l'intérieur avec eux. « Nous aimerions que vous continuiez à manger nos Super Tartes pendant votre tournée, partout où vous allez. Chose pour laquelle nous vous verserons deux cent cinquante mille dollars.

– C'est une blague ? fit Adele Nofsacker. Monsieur Flakes

est un auteur américain distingué, pas un joueur de basket ! Il ne prête son nom à aucun autre produit que ses livres. »

L'ascenseur montait dans les étages. L'ours continuait à grignoter ses petites friandises croustillantes. Lui qui avait trouvé savoureuse la cellulose des nids de guêpes se sentait dans son élément la bouche pleine de Super Tartes.

« Mais regardez-le, insista l'homme. Il adore notre produit.

– Il n'en fera pas la publicité, répéta Adele Nofsacker, les yeux rivés sur les numéros des étages qui s'allumaient les uns après les autres.

– Écoutez, fit l'homme alors que la porte de l'ascenseur s'ouvrait. Je peux monter un peu.

– Vous êtes déjà monté assez haut, répondit Adele. Monsieur Flakes prend un vol tôt demain matin et il a besoin de repos.

– S'il part tôt, comment suis-je censé lui parler demain matin ?

– C'est votre problème », rétorqua Adele.

L'ours marchait derrière eux, secouant le sachet vide au-dessus de sa bouche. Il avait prononcé beaucoup de mots aujourd'hui, il était content de lui.

« Très bien, je lui offre trois cent mille. »

Adele Nofsacker inséra la clé dans la serrure de la chambre de l'ours. « J'ai l'impression que vous ne comprenez pas. Monsieur Flakes n'est pas intéressé.

– Une caisse de notre produit lui sera livrée dans chacun des hôtels où il descend et il n'aura rien d'autre à faire qu'en manger un sachet quand il est à l'antenne, ou le mettre en évidence comme il le jugera commode et naturel. Et nous lui verserons trois cent cinquante mille dollars. »

Adele Nofsacker lui adressa un regard chargé de mépris.

« Monsieur Flakes refuse votre offre. »

L'ours franchit la porte, qu'Adele Nofsacker tenta de refermer sur le type des Super Tartes, qui s'interposa avec sa mallette de justesse.

« Très bien, très bien, on monte à quatre cent mille. C'est une offre juste, parce qu'on ne parle pas d'une campagne à long terme, simplement du temps que durerait la tournée. »

Adele Nofsacker dévisagea l'homme comme elle aurait dévisagé une punaise de plancher. « Un demi-million.

– Marché conclu. » Le type ouvrit sa mallette et en sortit prestement un contrat. « Au fait, accepteriez-vous de venir travailler pour nous ?

– On en reparle », répondit Adele.

Vinal Pinette s'assit sur son vieux lit en métal. Il portait un bonnet élimé pour garder au chaud son crâne chauve, et son dentier gisait dans un verre, souriant au papier peint fané. Dehors, les flocons s'amassaient sur le rebord de la fenêtre ; la lune répandait sa lueur sur les courbes de la congère et sur les arbres qui ployaient sous le poids de la neige. « Art est comme un fils pour moi », confia Pinette à son chien, qui se tenait au pied du lit.

Le chien leva les yeux, espérant un dernier petit quelque chose à se mettre sous la dent pour clore la journée, une saucisse de Francfort en guise de bonne nuit, peut-être.

Une ampoule nue pendait au-dessus du lit, toujours allumée. Pinette tendit la main vers l'interrupteur pour l'éteindre. La fenêtre éclairée par la lune devint l'endroit le plus lumineux de la pièce. « Art, mon garçon, dit-il. J'espère que tu te portes bien. »

Le chien sortit de la chambre, ses ongles cliquetant doucement contre les lattes en pin gauchies. Il entra dans la cuisine et contempla sa gamelle. Elle était vide, bien sûr. Mais cela valait le coup de vérifier.

Il lapa bruyamment une gorgée d'eau et se coucha en rond derrière le fourneau. Dans un soupir, la queue sur le museau, il ferma les yeux. Quelques minutes plus tard, il dormait et pourchassait en rêve des saucisses de Francfort. Il les happait avec une telle violence qu'il se réveilla en sursaut.

C'est juste un rêve, se dit-il en soupirant de nouveau, le

soupir que les chiens poussent près de l'âtre depuis la nuit des temps quand les saucisses viennent à manquer.

Quand l'ours et son attaché de presse à Chicago, Will Elder, pénétrèrent dans la loge de Channel 7, le révérend Norbert Sinkler y attendait aussi. Elder fit les présentations. « Révérend Sinkler, Dan Flakes. Vous caracolez tous les deux au top des ventes cette semaine.

– Bien, bien », fit Sinkler, une étincelle dans le regard. Le révérend Sinkler voulait *tendre la main* vers les autres. Il n'avait pas l'habitude de fréquenter des modérés, mais s'il devait un jour se porter candidat à la présidence, il avait besoin d'eux. « Je suis ravi de vous connaître, monsieur, vraiment ravi. »

L'ours serra la main du révérend et celui-ci fut heureux de constater qu'il avait la poigne virile, pas une poignée de main mollassonne de tapette.

« J'ai lu votre livre, dit l'ours, parce que son attaché de presse lui avait appris à toujours dire cela aux autres auteurs afin de ne blesser personne.

– Tiens donc ? Eh bien, cela me fait grand plaisir, Monsieur… hum… Flakes. Assurément. Surtout parce que j'ai moi-même énormément apprécié le vôtre. » À peine quelques instants plus tôt, le révérend Sinkler n'en connaissait pas l'existence, mais son directeur de la communication lui avait également conseillé de toujours affirmer avoir lu le livre des autres écrivains qu'il rencontrait.

– Je vois que vous avez beaucoup à vous dire, remarqua Elder avant de s'éclipser.

Sinkler adressa à l'ours le regard bienveillant qu'il portait sur tous les êtres humains, afin que ceux-ci sachent qu'il les aimait. L'ours le regarda à son tour, tout en le reniflant. Il perçut de vagues traces d'une eau de Cologne à deux cents dollars le flacon. Il sentit également l'odeur du fond de teint, laquelle était appétissante. Se penchant, il prit le révérend par les épaules et lui lécha le visage. Cela avait une saveur qui évoquait le beurre.

Sinkler eut un mouvement de recul, mais une poigne virile le tenait fermement. Un Français ? se demanda Sinkler, qui décida que ce devait être quelque chose dans ce genre-là, car cet homme était un auteur à succès, pas un pervers. « Je vous remercie de vous montrer si sincèrement ému, monsieur. Je vois que nous sommes tous les deux embarqués sur cette longue route éclatante qui mène à la fraternité infinie. »

Le producteur fit son entrée. « Révérend, ça va être à vous. »

Sinkler fit volte-face : la longue route éclatante des télécommunications s'ouvrait à lui. « Le temps est venu d'aller prêcher aux carrefours », dit-il avec un sourire tendre.

L'ours resta dans la loge, à grignoter ses Super Tartes. Sur l'écran mural qui diffusait l'émission, il vit le révérend discuter avec le présentateur du talk-show. Du regard, il chercha une télécommande qui lui permettrait de changer de chaîne, mais il n'y en avait pas. Quand un assistant de production entra, l'ours désigna l'écran et dit : « Dessin animé. »

– Ce n'est pas faux », fit l'assistant de production, mesurant du regard le révérend sur l'écran.

L'ours acquiesça d'un signe de tête, sans quitter des yeux l'écran où le révérend s'exprimait à la cadence d'une Amérique ancienne, plus primitive. Son bourdonnement plein de grandiloquence impressionnait l'ours.

L'assistant de production secoua la tête. « Ça fait peur de se dire qu'il sera peut-être notre prochain président.

– Je veux parler comme lui », dit l'ours.

L'assistant de production eut un petit rire. « On le veut tous. Ce type vaut cent millions. »

Le chiffre ne signifiait rien pour l'ours, passé d'un seul bond du statut d'ours à celui de millionnaire. Ce qui ne lui avait pas pour autant permis de formuler de longues phrases bourdonnantes comme l'homme à l'écran.

Quand vint son tour, l'ours donna son interview habituelle, qui déconcerta l'animateur, ravit les caméramans et fit exploser le central téléphonique. Le révérend Sinkler regardait depuis la télévision de sa limousine, impressionné par la simplicité de son confrère auteur à succès. « Je vais faire venir Dan Flakes à Godland », annonça-t-il à Craig Sudekum, un attaché de presse chrétien.

Sudekum se racla la gorge avec diplomatie. « Cet homme prône les rapports hors mariage dans son livre, Révérend.

– Il faut avancer avec son temps, Sudekum.

– Toujours risqué, Révérend.

– Je tends la main.

– Je vous le concède, Révérend. » Craig Sudekum était l'éminence grise dans l'ombre de Norbert Sinkler. Sinkler avait le charisme, la simplicité, mais Sudekum avait l'intelligence, celle qui avait sorti ce gros crétin bouffeur de Bible de l'obscurité pour le mener jusqu'au seuil de la Maison Blanche.

– Dan Flakes est chaleureux et sincère, remarqua Sinkler. Il ne s'encombre pas de discours compliqués. Il ne vous fait pas passer pour un abruti. » Le révérend Sinkler tourna le regard vers la rue. « J'aime bien Dan. Je crois que ma paroisse l'appréciera aussi.

– Si l'on évite tout ce qui touche à la fornication, Révérend.

– Il cherche des lecteurs, Sudekum, tout comme moi. Nous le protégerons de la fornication et nous l'afficherons devant les modérés. J'ai besoin des modérés, et ce Flakes sera mon premier. Il a même lu mon livre.

– Très bien, monsieur. Vous voulez que je le contacte?

– Faites donc ça. » Le révérend Sinkler s'adressa au chauffeur par l'interphone. « Je vois des visages noirs. Abaissez l'or.

– Bien, monsieur », répondit le chauffeur en appuyant sur un bouton du tableau de bord. Le crucifix en or quatorze carats qui ornait le capot de la limousine de Godland s'abaissa et disparut sous la tôle.

Le révérend Sinkler et l'ours dînaient ensemble dans le pavillon de l'Omni Ambassador. Veste et cravate étaient exigées. L'ours portait son costume en tweed et sa cravate à clip ; le révérend Sinkler un blazer bleu marine à boutons dorés assortis au minuscule crucifix en or dix-huit carats épinglé à sa cravate Armani.

Le révérend porta son verre à sa bouche et avala une petite gorgée de vin. « Vous interviendrez au moment clé de l'émission, rien de trop formel, juste de la conversation légère. Je dois vous dire d'emblée que le sexe ne peut pas faire partie des sujets, à moins que ce soit orienté famille. Est-ce que ce sera un problème?

– Pas de problème », répondit l'ours. Bettina lui avait donné comme instruction de toujours répondre ça quand quelqu'un lui demandait de faire quelque chose. *Acceptez tout, Dan. Toute publicité est bonne à prendre. Répondez juste pas de problème.*

— Je suis heureux de vous l'entendre dire Dan, très heureux. Je savais qu'un homme de votre trempe et avec votre foi n'aurait pas de difficultés à modifier sa présentation.

— Pas de problème », répéta l'ours. Il dégustait une fricassée de poulet et était d'humeur satisfaite. Je possède un plus grand territoire que n'importe quel autre ours au monde, se disait-il. Aucun des autres ne m'arrive à la cheville. Je peux affirmer sans risque d'être contredit qu'il n'y a pas un ours sur cette terre qui ne rêverait en ce moment même de manger une fricassée de poulet. Mais feraient-ils preuve d'autant de manières à table ? Coinceraient-ils leur serviette sous leur menton ? Pourraient-ils ne pas tremper leur patte dans la soupe ? On n'a rien sans rien. Un autre ours dans la même situation baverait et lâcherait des pets. Il chierait peut-être même à côté de sa chaise, pour montrer au monde que tout ce qui se trouve sur la table lui appartient. J'ai tenu bon. Ça n'a pas été facile. Mais c'était nécessaire.

« J'aimerais changer de sujet, Dan, et parler politique. Je ne cherche pas à me faire élire, mon Dieu non, mais les gens sont de plus en plus nombreux à penser que je devrais viser la Maison Blanche. Que pensez-vous de ma candidature ? »

Le révérend, tout en parlant, avait agité sa fourchette, si bien que l'ours pensa qu'une candidature était similaire à une fricassée. Il leva à son tour sa fourchette. « Ça m'a l'air délicieux.

— Bien, bien, fit Sinkler avec un sourire satisfait. Voilà qui est agréable à entendre, monsieur, très agréable. » Sudekum y connaît quoi en politique, bon sang ? songea le révérend Sinkler. Je savais bien que Flakes était prêt à passer à droite. « Dan, nous progressons à grands pas, mais je crois que c'est le cas de tous les grands mouvements. Accepteriez-vous de soutenir ma candidature à l'antenne ?

– Pas de problème, répondit l'ours.

– Fantastique, Dan, cela fait vraiment plaisir. Puisque nous sommes sur la même longueur d'ondes, je vais vous dire sans détours que je pense pouvoir faire quelque chose pour ce pays. Car un pays est comme une paroisse. » Hum, pas mal du tout, se dit Sinkler en notant dans un coin de sa tête de communiquer cette phrase aux rédacteurs de ses discours afin qu'ils la développent. *Un pays est comme une paroisse. Un pays est comme une paroisse.* « Dan, laissez-moi vous promettre une chose. Personne ne pourra jamais m'accuser de baisser mon pantalon avec une secrétaire dans une chambre de motel.

L'ours baissa les yeux vers ses cuisses pour s'assurer, comme il le faisait souvent, que son pantalon était bien mis. « Je porte le mien comme il faut.

– Bien sûr, Dan, et moi aussi. » Le révérend Sinkler s'était trouvé aux prises avec le démon de la luxure à plusieurs occasions notables, mais il avait toujours réussi à garder son pantalon. Il y avait à cet instant même une femme assise en face de lui, ses seins à demi-nus débordant du col de sa robe. Des seins qui pourraient faire perdre une élection à un homme. Le révérend tourna de nouveau le regard vers Flakes. « Nous sommes tous humains.

– J'essaie de l'être, répondit l'ours.

– Très bien formulé, mon ami. Vraiment très bien. Moi aussi.

– Vous aussi ? s'étonna l'ours.

– Moi aussi, Dan, oui. Je ne vais pas prétendre ne pas avoir connu le désir animal. » Le révérend Sinkler sentait un lien étrange se tisser avec Dan Flakes. L'homme ne jugeait pas et, pour cette raison, le révérend Sinkler avait la sensation qu'il pouvait s'ouvrir à lui. « Trente-sept belles choristes chantent derrière moi tous les dimanches. Mais je ne profite pas de ma position.

– Je le fais généralement par-derrière », dit l'ours.

« Ils tissent des liens », commenta Will Elder, assis à une table voisine. Il était au téléphone avec New York.

« *Il tisse des liens avec Norbert Sinkler ?* » Bettina se trouvait chez elle, à Alphabet City, mais Will Elder avait reçu l'instruction de l'appeler si Dan Flakes venait à avoir des soucis.

« Sinkler l'a invité à Godland.

– *Et il a dit oui ?*

– Il va faire une apparition sur la chaîne Prière et Shopping de Godland.

– *Comment diable en est-on arrivés là ?*

– Ils ont accroché.

– *On peut tirer un trait sur le National Book Award. Comme si le contrat avec Super Tartes n'avait pas suffi.*

– Les auteurs en tournée sont des adultes en couches-culottes.

– *Cette émission avec Sinkler, c'est censé avoir lieu quand ?*

– Demain.

– *Vous ne pouvez rien faire, Will ?*

– Je ferai tout ce que je peux, sauf l'enfermer à double tour dans le placard… »

Godland se trouvait à une quinzaine de kilomètres de Chicago et l'ours y arriva à bord d'une limousine du domaine. L'ours n'avait pas même une vague idée de ce qu'était la religion. Il était là pour la candidature, qu'il s'imaginait baignant dans une sauce crémeuse où flotteraient de tendres petits pois.

Quand la limousine s'arrêta devant le bâtiment principal, Norbert Sinkler était là pour l'accueillir en personne. La construction, baptisée Manoir du Règne de Dieu, était d'un gigantisme digne du Troisième Reich.

« Dan, je vous souhaite la bienvenue, dit le révérend Sinkler. Dieu en personne m'a glissé ce matin à quel point il était heureux de votre visite. »

L'ours plissa les yeux vers le ciel hivernal radieux. Le soleil brillait sur le dôme du Manoir du Règne de Dieu et sur le drapeau de la SARL du Saint Ministère du Miracle Éternel. Il huma l'air, à la recherche de la candidature au poulet, mais la seule odeur était celle des frites provenant du centre commercial Godland qui les entourait.

Prenant son invité par le coude, Norbert Sinkler le guida vers l'entrée du Manoir du Règne de Dieu. « Nous sommes fiers de la place que nous occupons dans le paysage américain, Dan, remarqua Sinkler en désignant d'un geste les enseignes couleur pain d'épice des boutiques qui bordaient les rues partant du centre sacré. L'ours trouvait lui aussi l'architecture assez réussie. Parce qu'il était un ours.

Le révérend Sinkler le conduisit dans le vestibule où se répercutait l'écho de leurs pas. L'ours leva les yeux vers le plafond en dôme. Jamais il n'avait vu de plafond aussi haut, orné de jolies peintures représentant Norbert Sinkler en compagnie d'un barbu à cheveux longs guidant les gens vers les nuages.

« Tout ceci s'est construit par la prière », commenta Sinkler.

L'ours sentit son nez frémir. Il commençait à avoir faim. « Cette candidature, elle est prête ?

– On y travaille jour et nuit, Dan. Mailings. Télémarketing. Grosse campagne de publicité. Dieu entrera à la Maison Blanche, je vous le promets. » Le révérend Sinkler s'imagina le jour de l'investiture, en train de prêter serment, sa voix sonore emplissant les cœurs et les esprits de par le monde. C'était pour cela qu'il avait besoin de Dan Flakes, et d'autres comme lui, des modérés en voie de rédemption.

« J'aimerais qu'on me serve votre candidature tout de suite, dit l'ours.

– Moi aussi. » Sinkler était ému par la ferveur de son invité. « Mais ces choses-là exigent du temps. »

L'ours approuva d'un signe de tête et, songeant amoureusement à ces petits pois en sauce qu'il dégusterait bientôt, il se pourlécha de nouveau le museau.

Sinkler le conduisit dans les coulisses, se frayant un chemin parmi un enchevêtrement de câbles électriques. Les maquilleurs prirent l'ours en charge et l'emmenèrent à l'assistant réalisateur. À travers les rideaux filtrait le brouhaha des milliers de croyants qui adhéraient à la version de la réalité dispensée par Norbert Sinkler, prêts à se joindre par le cœur aux autres millions qui regardaient la chaîne Prière et Shopping depuis chez eux.

L'assistant réalisateur installa l'ours sur scène, sur le fauteuil de l'invité, et le révérend Sinkler alla se placer à son pupitre. L'orchestre se lança, et les choristes firent leur entrée, vêtues de longues robes rouges.

L'ours pointa aussitôt le nez en direction des trente-sept femmes dans leurs longues robes rouges. Une bande de femelles à l'odeur agréable, se dit-il. De quoi donner envie à un ours de faire des oursons, exactement comme l'a prévu la nature, plus ou moins.

Les caméras pivotèrent pour se mettre en position, le réalisateur donna le signal depuis la cabine de contrôle et le générique démarra.

Le nuage de parfums émanant des trente-sept robes chuchotait une douce chanson dans les narines de l'ours. Il avait goûté aux femelles humaines et elles étaient imbattables. Il savait que c'était mal, mais il fut parcouru d'un désir pressant de mordre, de parader, de mettre au défi. Cela risquait de lui attirer des ennuis, mais un ours n'a qu'une vie.

Les choristes le dévisageaient avec une fascination empreinte de nervosité. Les invités masculins de la chaîne Prière et Shopping venaient parler des valeurs familiales. Tandis que cet homme-ci reniflait la chorale comme si… eh bien, le simple fait d'y songer était terriblement gênant… mais comme s'il avait fourré son nez *là*.

« Mes chers amis, bienvenue. » Norbert Sinkler inclina la tête vers l'auditoire, au moment même où dans le fond, la chorale se mettait doucement à chanter, sans cesser de jeter des regards en coin à l'invité.

« Mes amis, Dieu m'a accordé sa grâce aujourd'hui et j'ai entendu les mots qu'Il me prononçait à l'oreille. Dieu m'a dit, "Norbert, accueille ces gens avec toute la bonté que tu trouveras en toi. Ouvre-leur ton cœur, afin qu'ils puissent ensuite ouvrir leur cœur à Dieu…"»

Le cœur de l'ours, pendant ce temps, s'ouvrait à ces charmantes dames. Leur chant était doux et leur parfum envahissant remontait jusqu'à son cerveau, lui communiquant un ordre primordial, celui de conquérir toute cette chair, de s'ébattre dans son odeur humide. Oui, se dit-il, oui, *oui*.

Norbert Sinkler, dos à la chorale, plongea dans son sermon, convaincu que celui-ci allait exciter les passions.

« … Et Dieu dit "Annonce à ces gens la bonne nouvelle, Norbert" et je lui répondis "Je le ferai Seigneur, je le ferai." »

L'ours, qui avait gravi les marches couvertes d'un tapis rouge devant la chorale, se mit à rugir, simplement pour s'assurer que tout le monde savait à qui ces femelles appartenaient.

Mais que diable… se dit Robert Sinkler avant de sombrer dans un silence stupéfié.

L'ours rugit de nouveau et lança ses pattes en l'air, accomplissant le geste immémorial par lequel son espèce signifiait l'appropriation d'un territoire.

Le rugissement se répercuta à travers l'auditorium et plusieurs fidèles au premier rang le ressentirent jusqu'à la moelle de leurs os. « Alléluia ! crièrent-ils en se mettant debout, lançant leurs bras en l'air à leur tour.

« Gloire à toi Seigneur, gloire à toi ! »

Toute la rangée se leva, se joignant au dynamisme de l'invité de l'émission pour rendre gloire à Dieu.

À cet instant, un mot parvint à l'oreille du prêcheur déconcerté. Ce n'était pas la parole de Dieu mais celle du réalisateur, qui lui disait dans l'oreillette : « *Suivez le mouvement, Révérend.* »

Le révérend Sinkler tendit machinalement les bras vers l'auditoire, un sourire collé aux lèvres. « Vous sentez mes amis, vous sentez le message ? »

L'ours aussi se tourna vers le public, abasourdi par le son des centaines, puis des milliers de gens qui criaient d'une seule voix :

« Alléluia ! Alléluia ! »

Il rugit, plus fort que précédemment, poussa son rugissement d'entre les rugissements, le rugissement de la suprématie dans la forêt.

Eh bien, quel chrétien ! se disait le public, en répondant par ses propres rugissements.

L'ours oublia les choristes. Le son de tant de voix humaines mêlées était stupéfiant. L'humanité pouvait parvenir à cela, elle était capable de s'unir dans un objectif commun. C'était comme ça qu'ils avaient découvert le popcorn et les petites culottes. Et le plus incroyable, c'était que lui les menait! Il rugit de nouveau, juste pour être sûr. Eux rugirent en retour. Ils étaient tous debout et agitaient leurs bras vers le ciel, et soudain il en fut certain : cette ferveur, c'était lui qui la contrôlait.

Bettina Quint se précipita à l'arrière du studio et vit, avec horreur, qu'elle arrivait trop tard. Dan avait causé une émeute.

Puis elle aperçut Will Elder, qui avait fait de son mieux, comme il l'avait promis, en train de s'occuper d'une table couverte de grandes piles d'exemplaires de *Désir et Destinée*. Ce fut ensuite la cohue, tout le public se précipitait pour acheter le livre de ce grand leader charismatique qui faisait trembler les murs du Manoir du Règne de Dieu.

« Soyez sage, Dan, d'accord? » lui dit Bettina à l'aéroport. Will Elder et elle l'avaient accompagné dans la salle d'attente du terminal Delta. Ses bagages étaient en soute. Il portait une mallette pleine de Super Tartes.

« On va un peu changer les règles, continua Bettina. Si quelqu'un vous propose de faire quelque chose, appelez-moi d'abord.

– D'accord, répondit l'ours.

– Pourquoi ai-je l'impression que vous ne m'écoutez pas ?

– *Embarquement pour le vol Delta de tous les passagers de première classe à destination de Dallas…*

– Eh bien, au revoir », fit l'ours, avant de rejoindre la porte d'embarquement, billet en main.

Arthur Bramhall se réveilla dans sa grotte obscure. Il sentait les branches de pin sous son corps et la roche tout autour de lui. Le printemps était encore loin, et l'envie était grande de se rendormir, de se tourner sur le flanc et de se rouler en boule dans ses branches. Mais quelque chose lui disait *Lève-toi*.

Il rampa dans le noir vers la fine croûte blanche qui couvrait l'entrée de la grotte. Grattant la neige, il sortit la tête dans le paysage hivernal moribond. Le soleil était bas dans le ciel. Ébloui par la clarté, il continua à gratter la neige à grands coups de patte acharnés. Il avait faim, plus faim que jamais. Il avait faim de nourriture et faim de vivre.

Il força une fenêtre à l'arrière d'un restaurant. Des ronflements, des grognements brefs et sourds lui échappèrent alors qu'il se hissait par-dessus le rebord et atterrissait maladroitement sur le sol. Il agitait la tête d'avant en arrière, humant l'air de la cuisine sombre. Reconnaissant le frigo, il grogna et changea de cap. Il en sortit une tourte, dans laquelle il plongea avidement la patte, portant un morceau après l'autre à sa bouche. Une fois la tourte finie, il s'attaqua à une Forêt noire. Il se sentit très futé d'avoir trouvé ces produits. Ceci mis à part, il ne pensait à rien.

Tandis qu'il se régalait, son nez fut attiré par un paquet en haut du réfrigérateur – un poisson, emballé dans du journal. Il déchira le papier et s'apprêtait à mordre dans la chair crue quand une étincelle, aussi ténue que la lumière à l'intérieur du frigo, s'alluma dans sa tête. À l'endroit où le papier s'incurvait pour envelopper la tête, il aperçut un titre familier : *Désir et destinée*. Soulevant le flanc du poisson, il lissa délicatement le journal. Le titre figurait en haut de la liste des meilleures ventes. Soudain, des souvenirs du passé lui revinrent, comme cela était arrivé à Proust, dans leurs moindres détails : pour Proust, c'était une madeleine trempée dans du thé qui avait ramené les saveurs de jadis. Pour Bramhall, ce fut un poisson emballé dans du journal, mais la chimie était la même – lui était revenu le souvenir de son livre adoré sur lequel il avait planché avec tant d'acharnement. Chacune de ses phrases brûlait dans ses pensées et il sut qu'il s'était fait avoir.

Mais par qui ? se demanda-t-il, avant de se rappeler les traces de pattes sous l'arbre.

« Je me suis fait avoir par un ours ? » Il ne reconnaissait pas sa voix qui résonnait dans la cuisine vide du restaurant. La parole dont sont dotés les humains s'était endormie en lui, mais voilà qu'il se trouvait de nouveau pris dans la toile des mots – leur sens et le chagrin qu'ils pouvaient exprimer. « Je me suis fait avoir par un ours ! » hurla-t-il en déchirant le journal, coupant en deux la liste des best-sellers, avant de jeter violemment le poisson contre le mur.

À cause de la tourte et du gâteau dont il s'était goinfré, son estomac gargouillait ; un ours pouvait tolérer une telle gloutonnerie, mais l'ours en Bramhall était déjà en train de disparaître. « Par tous les saints de la terre ! » s'exclama-t-il en apercevant son reflet dans la vitre : une créature velue entièrement nue, des aiguilles de pin et des brindilles coincées dans sa barbe broussailleuse. Il tenta de s'arranger un peu, avant de prendre conscience qu'il était risqué de le faire ici. Il fallait qu'il parte, au risque d'être repéré et de finir en prison ou dans un asile de fous.

Il ressortit par la fenêtre. Les grognements qui lui échappèrent alors furent un nouveau choc. L'ours en lui n'était pas encore tout à fait mort.

« Monsieur Bramhall, j'ai étudié votre dossier. » Eaton Magoon scruta son futur client assis de l'autre côté de son bureau.

« Et? grogna Arthur Bramhall, qui, non sans difficulté, revenait à la civilisation. Le costume qu'il portait craquait aux entournures. Il avait été jadis parfaitement à sa taille, mais Bramhall était maintenant couvert d'une fourrure de plus d'un centimètre d'épaisseur et son cou avait notablement forci.

Dans le dos de Magoon l'avocat, on apercevait par la fenêtre l'horloge de la ville, ses aiguilles figées pour toujours. Et dans le fond, se trouvait le magasin de produits agricoles Feed and Seed. Son enseigne était fanée et vieille, comme presque tout dans le nord du Maine. « Je ne suis qu'un petit avocat de province, Monsieur Bramhall, et on ne peut pas dire que vous êtes en position de force.

– Mais c'est mon livre », grogna Bramhall. Il n'avait pas réussi à se débarrasser de la raucité dans sa voix et toutes les phrases qu'il prononçait s'achevaient par un léger gémissement, pareil à celui d'un chien affligé de vers.

« Il n'existe pas de copie, continua Magoon, ce qui nous laisse sans aucune preuve que vous êtes bien l'auteur.

– Demandez à Vinal Pinette. Il vous dira que je travaillais sur un livre.

– Oui, mais quel livre? Vinal Pinette sait à peine lire.

– C'est un homme honnête.

– Honnête mais illettré. Il ferait un bon témoin si c'était du vol d'une vache qu'on causait.

– C'est moi qui ai écrit *Désir et Destinée*.
– Je vous crois, Monsieur Bramhall. Mais un juge ? Et un jury ? Je peux être honnête avec vous ?
– Certainement.
– Votre apparence joue contre vous. Vous n'avez pas l'air d'un auteur.
– J'ai l'air de quoi ?
– Franchement ? Vous avez l'air d'un ours. »

La tournée promotionnelle s'achevait dans le sud de la Californie, région dont la luxuriance ne ressemblait à rien de ce que l'ours avait connu jusqu'ici. Au petit matin, il partit se promener dans le parc de l'hôtel Bel Air. Avec leurs racines et leurs branches gigantesques, les arbres tropicaux saturaient l'air de leur pouvoir suffocant. Il descendit le sentier qui menait à la mare, où nageaient deux des cygnes dont l'hôtel avait fait sa marque. C'étaient des créatures choyées, et l'ours ne pouvait s'empêcher de saliver en les regardant. La salive d'un ours dégageant un fumet particulier, les cygnes furent choqués. Qui était donc ce barbare ? Comment était-il entré dans leur hôtel ? Dédaigneux, ils tournèrent vers lui les plumes de leur queue et nagèrent vers l'autre rive. L'ours chargea, écrasant lourdement l'herbe de ses pattes. Les cygnes tordirent le cou vers lui et, horrifiés, se précipitèrent sans aucune grâce dans les buissons de la berge opposée.

Arrivé au ras de l'eau, l'ours freina et jeta un œil par-dessus son épaule pour voir si quelqu'un le regardait. Il faut que je maîtrise mes instincts. Croquer ces volatiles me plongerait dans un abîme de malentendus.

Essayant de se donner un air innocent, il remonta la pente et emprunta un autre sentier, hors du jardin des cygnes. Celui-ci était bordé de fleurs exotiques humides ; des fontaines en forme de têtes d'animaux crachaient de l'eau par leur bouche. Il traversa la terrasse du restaurant sous une voûte de branches couvertes de fleurs bleues. Des femelles se reposaient déjà sur des chaises longues au bord de la piscine, un lacet entre leurs miches. Quand il s'arrêta, le jeune employé de piscine lui demanda : « Je vous installe une chaise, monsieur ?

– Je regarde les miches.

– Bien sûr, monsieur. »

L'ours prit une banane dans la corbeille à fruits offerte aux baigneurs. Le soleil matinal scintillait sur l'eau bleue et des oiseaux tropicaux pépiaient dans les arbres. Un petit plongeon ne serait pas désagréable, se dit-il.

Ôtant son peignoir d'hôtel, il fit quelques pas lents et gracieux avant de s'élancer d'un bond, touchant l'eau dans une gigantesque gerbe d'éclaboussures et envoyant déferler des vagues par-dessus bord.

Le ciel sans nuages de la Californie à l'aplomb de sa tête, il nagea paisiblement. Et tandis qu'il nageait, il cherchait du coin de l'œil une éventuelle mallette posée sous une chaise longue. Mais les dames portant des lacets entre leurs miches ne transportaient apparemment pas de mallettes.

Arrivé à l'extrémité de la piscine, il fit demi-tour et se remit à nager. Une piscine comme celle-ci, observa-t-il, serait encore mieux si on y ajoutait quelques saumons.

Il sortit et s'ébroua vigoureusement, créant autour de lui un halo de gouttelettes. Puis il partit, son peignoir au bras. Il gravit quelques marches carrelées, longeant une fontaine bouillonnante éclairée dans laquelle flottaient des pétales de fleurs. Le sentier donnait sur une petite cour, elle aussi agrémentée de fontaines en forme de têtes d'animaux, et sa chambre donnait sur toute cette splendeur. Le seuil était encadré de plantes et d'arbres en fleurs, leur riche senteur vint lui titiller les narines quand il passa à leur hauteur. Une abeille sortit d'une corolle, il l'attrapa et la mangea, avant de regarder nerveusement autour de lui.

Je ne devrais vraiment pas manger les biens de l'hôtel, se dit-il. Mais les vieilles habitudes ont la vie dure.

Il pénétra dans sa chambre. C'était une pièce vaste et fraîche, une porte-fenêtre à l'autre bout ouvrait sur un jardin privé protégé par une haute clôture en bois de séquoia. Il commanda un petit-déjeuner pour lui et la personne qu'il attendait, puis alla patienter dans le jardin sur une chaise longue blanche à l'ombre d'un arbre. Il portait des lunettes de soleil, et son peignoir blanc était marqué du monogramme de l'hôtel – un cygne.

Arrachant un bout d'écorce à l'arbre, il en grignota le riche intérieur. La végétation du sud de la Californie était particulièrement juteuse. Ceci, couplé au fait que les femmes portaient des lacets entre les miches, était un des points forts qui incitaient à y établir sa tanière de manière permanente.

Un garçon arriva avec un chariot sur lequel était disposé un petit-déjeuner pour deux. On l'avait agrémenté d'un pot de miel spécial, dans lequel flottaient des noix de macadamia. À côté, se trouvait un exemplaire plié du *Los Angeles Times*.

« Aurez-vous besoin d'autre chose, monsieur ? demanda le garçon.

– Non, ce sera tout », dit l'ours en signant la note de son style lent et soigneux.

Une fois le garçon parti, l'ours ouvrit le journal pour jeter un coup d'œil sur la liste des meilleures ventes. *Désir et Destinée* était toujours numéro un.

On frappa à la porte. Il ouvrit à son agent d'Hollywood.

« Bonjour, fit Zou Zou Sharr d'une voix hésitante, sans trop savoir où tous les deux en étaient de leur relation désormais.

– Entre donc », dit l'ours chaleureusement.

La tenue de Zou Zou – un tailleur sobre – reflétait son incertitude. Elle ne voulait pas donner l'impression qu'elle se présentait à lui comme un objet physique. Il l'accompagna jusqu'au jardin, et quand elle vit le pot de miel, elle sentit une pointe de mélancolie la transpercer au souvenir de ces premiers jours à New York, avant que le tourbillon n'emporte Dan vers la célébrité. Elle posa le bout de son ongle rouge sur la page des meilleures ventes. « Tu dois être très heureux. »

Il croqua dans une tranche de papaye à dix dollars. « Tu portes un lacet entre les miches ?

– Ça m'arrive », dit-elle nerveusement. Il était la Nouvelle Tête. La coqueluche du moment. Les actrices les plus cotées le voulaient. Comment pouvait-elle faire le poids ? Mais ces actrices, est-ce qu'elles le comprenaient ?

« Le succès a été facile pour toi, hein, Dan ? fit-elle, pleine d'espoir.

– Signer c'est difficile.

– Que veux-tu dire ? » Son antenne émotionnelle se replia alors que se dressait son antenne de femme d'affaires. C'était vrai, il avait signé avec son agence, mais les accords étaient faits pour être brisés. Les gens de CAA étaient-ils sur le point de le leur ravir ?

« Tu ne t'en tireras pas mieux avec une autre agence, Dan, peu importe qui essaie de t'embobiner.

– Si je ne tiens pas correctement le stylo, je fais n'importe quoi.

– N'importe quoi ? C'est-à-dire ? » Son antenne bourdonnait maintenant. CAA avait bien tenté quelque chose, salauds de prédateurs, et Dan lui disait que s'il n'obtenait pas ce qu'il voulait, la bataille sur les contrats allait être coûteuse. Mon Dieu, quel habile négociateur, capable de vous déstabiliser en à peine quelques mots. « Qu'est-ce que tu veux, Dan ? Dis-le-moi avant que les choses tournent mal. CAA t'a offert une villa dans le coin ? On t'en trouvera une plus belle. Avec une voiture, un chauffeur, ce que tu veux. Mais il faut qu'on ait ton prochain livre, il le faut.

— Je n'ai pas réussi à le trouver. »

Elle comprit qu'il allait faire blocage. Il n'y aurait pas de nouveau livre sans nouveau contrat. « Qu'est-ce qu'ils t'ont promis qu'on ne pourrait pas t'offrir ? Tout ce que tu veux, Dan, c'est à toi. On te donnera une villa, une voiture et une bonne qui portera un lacet entre les miches. » Zou Zou se leva et lissa le devant de sa jupe. Toutes les mièvreries romantiques qu'elle avait en tête en arrivant étaient désormais enterrées. Elle croyait en l'amour qui dure, mais ce qui durait vraiment, c'était l'argent. « On peut prendre ma voiture et aller visiter des villas. On aimerait tous t'aider à t'installer ici. » Elle ferma les yeux. « Je te vois tout à fait dans Topanga Canyon. »

Le téléphone sonna. L'ours le colla à son oreille. « Oui ?

— *Dan, c'est Elliot. On a un petit problème ici, à New York.*

— Un problème ?

— *Un dingue vous intente un procès. Il prétend que vous avez volé son livre.*

L'ours lâcha le combiné au-dessus de son socle. Il se tourna vers Zou Zou Sharr, mais c'était tout juste s'il la reconnaissait.

— Dan, que se passe-t-il ? »

Il se leva d'un bond et considéra la clôture en séquoia. *Maintenant*, lui ordonna une voix immémoriale. *Tant que tu peux. Cours !*

Des paysages primitifs se succédaient dans ses pensées. Il frappa violemment le tronc de l'arbre, pour faire du bruit et effrayer ses ennemis. Puis, le saisissant entre ses pattes, il le secoua avec une telle force que ses racines saillirent de terre. Zou Zou, qui avait assisté à l'une de ses sautes d'humeur lors de leur première rencontre, n'était que modérément terrifiée. Elle tendit la main vers lui : « Dan, c'est moi, Zou Zou.

– Un zoo ?

– Non, Zou Zou. »

Il fit volte-face, un grognement s'échappant de ses lèvres entrouvertes. Elle recula aussitôt.

Apercevant le pot de miel sur la table, les noix de macadamia en suspension dans la teinte dorée, il grogna de nouveau, au supplice. Ma vie d'être humain, mon miel, mes lunettes de soleil – il grogna encore – tout ça va m'être enlevé.

Il bondit vers la table, ouvrit le miel et l'avala d'un trait tant qu'il était encore à sa portée. Ses pensées n'allaient pas plus loin, seul l'instant comptait, avec ses fragments de désirs et de peurs. Il entreprit d'engloutir ensuite le reste des deux petits-déjeuners.

Par-dessus la clôture ! lui intimait la voix immémoriale. *Ton museau te guidera vers la liberté, suis-le !*

« Dan, fit Zou Zou, tu peux te confier à moi. »

Il la dévisagea d'un regard vide. Que voulait cette femelle ? Avait-elle un lien avec le zoo ? Il rugit et renversa la table.

Zou Zou s'écarta d'un bond. « Dan, je te dérange. Je t'appellerai plus tard. » Elle recula, débarrassant sa jupe des bouts d'écorce de papaye. Son client, pour le moment, avait clairement perdu la tête, ce qui pouvait s'avérer le bon moment pour renégocier. Une assiette d'œufs au plat vola jusqu'à elle. « Appelle l'agence, Dan, on t'obtiendra tout ce que tu veux. » Elle plongea dans le couloir et referma la porte derrière elle au moment où une autre assiette s'écrasait contre le mur.

L'ours se déchaînait dans son jardin privé, secouant l'arbre et la clôture. Puis il entreprit de plier le mobilier de jardin en fer forgé.

Pas le temps pour ça, fit la voix. *Cours, sauve-toi!*

L'ours jeta un dernier regard vers le luxe qu'il devait abandonner. Les oreillers en plume et le room service lui manqueraient. Traîner autour de la piscine lui manquerait. Les miches luisantes des femmes lui manqueraient. Il ramassa le *Los Angeles Times* tombé par terre, afin de voir son nom une dernière fois dans le classement des meilleures ventes, mais avant qu'il l'eût trouvé, une petite annonce attira son attention.

TITRE À VENDRE

Qu'est-ce que c'est que ça? se demanda l'ours. Était-il possible qu'il puisse acheter son nouveau livre? Elliot était toujours sur son dos au sujet du prochain titre, et voilà qu'il y en avait un à vendre. Cela pourrait résoudre son problème en cours avec la justice. Un deuxième livre et tout le monde oublierait le premier, qu'il avait volé. Il lut la première ligne.

VENTE IMMÉDIATE –
TITRE BRITANNIQUE DISTINGUÉ.

Rien de mal à ça, se dit l'ours. Un titre est un titre.

CETTE OPPORTUNITÉ EXCEPTIONNELLE SE PRÉSENTE LORSQU'UN ANCIEN DÉTENTEUR SOUHAITE CÉDER LA PROPRIÉTÉ DE SON TITRE. SEUL UN NOMBRE RÉDUIT DE TITRES SONT AINSI PROPOSÉS, ET IL EST RARE QU'ILS DEMEURENT LONGTEMPS SUR LE MARCHÉ.

Bien, se dit l'ours. Le propriétaire précédent vend le titre. Je n'ai pas à le voler. Je l'achète.

LES PRIVILÈGES ATTACHÉS À UN TITRE SONT NOMBREUX ET DIFFICILES À ÉVALUER : STATUT SOCIAL DE HAUT RANG, PRESTIGE ET ESTIME LIÉS À L'ANCIENNETÉ DU TITRE – LE PRÉSENT TITRE ÉTANT TRÈS ANCIEN.

C'est ce que je veux, se dit l'ours. Un statut social de haut rang, cela m'évitera de finir dans un zoo.

UN TITRE VOUS OUVRIRA DES PORTES QUI RESTENT FERMÉES À TOUS SAUF AUX DÉTENTEURS DE TITRES, ET CETTE POSITION VOUS PERMETTRA DE NOUER DES RELATIONS TANT PERSONNELLES QUE PROFESSIONNELLES. PRIX DU TITRE DE LORD OF OVERLOOK DU COMTÉ DE DEVON, ASSORTI DE TOUTE SA DOCUMENTATION : 35 000 dollars.

L'ours posa le journal et appela Londres sur-le-champ.
« *Bagget and Smallwood.*
– J'ai besoin d'acheter un titre.
– *Un instant je vous prie, je vous mets en relation.* » Après un court silence, un homme fut en ligne. « *Bagget à l'appareil. En quoi puis-je vous aider ?*
– Je veux acheter un titre, dit l'ours.
– *Très bien, monsieur. Et vous êtes… ?*
– Dan Flakes.
– *Vous appelez de ?*

– Los Angeles.

– *Tout à fait monsieur, je vois.* » À la mention de Los Angeles, la voix de Bagget gagna en dynamisme. Beaucoup d'allumés l'appelaient, mais Los Angeles était un endroit prometteur pour la cession d'un titre britannique, sur ce point Bagget n'avait aucun doute, et c'était d'ailleurs pour cette raison qu'il avait publié la petite annonce là-bas.

« Un ours peut être propriétaire d'un titre, n'est-ce pas ? s'enquit l'ours avec inquiétude.

Bagget pressa le combiné contre son oreille, pensant que quelque chose clochait sur la ligne. Il improvisa une réponse. « *La plupart des acquéreurs récents sont des citoyens de pays étrangers.*

– Bien, fit l'ours.

– *Celui-ci est un très beau titre, très ancien, Monsieur Flakes*, précisa Bagget. *Un pedigree magnifique et sans défauts. Le premier Lord of Overlook a reçu son titre des mains du roi Édouard l'Ancien en l'an 923, vous voyez donc que l'on parle d'un titre culte.*

– C'est donc le titre ? Lord of Overlook ?

– *Oui.* »

L'ours plongea la patte dans le pot de miel vide. Lord of Overlook, c'était le titre d'un roman historique parlant de rois. Les rois étaient des mâles dominants, des personnages parfaits pour une intrigue dynamique. « D'accord, je le prends.

– *Vous en serez propriétaire dès que vous aurez procédé au transfert de 35 000 dollars américains à destination de notre banque, la Barclays of London.*

– J'aurai le titre quand ?

– *Vous devriez l'avoir entre les mains dans cinq jours, Lord of Overlook* », répondit Bagget avec enthousiasme, tout à fait conscient maintenant qu'il avait un gros poisson au bout de la ligne.

« J'envoie l'argent tout de suite, assura l'ours.

– *Parfait, Lord of Overlook. Vraiment parfait. Nous vous faisons suivre l'intégralité du dossier sur-le-champ. Lequel inclut les droits divers et variés qui vous sont conférés et la documentation historique complète.*

– Quels droits ?

– *Des droits de pêche dans les ruisseaux d'Overlook, qui d'après ce que l'on m'a dit sont très poissonneux.*

– J'adore la pêche, commenta l'ours en salivant.

– *Il y a également des droits sur les minéraux éventuels, quoique rien ne possédant une valeur substantielle n'ait été découvert sur ces terres depuis plusieurs siècles, mais il n'y a pas de mal à chercher, hein ?*

– C'est vrai, acquiesça l'ours. Les écureuils cachent des choses. »

Un instant, Bagget ne sut que répondre. Le type avait l'air d'un simplet. Les déficients mentaux passaient parfois des appels de ce genre. « *Vous dites que vous êtes à… ?*

– À l'hôtel Bel Air. Je suis écrivain. »

Bagget eut un regain de confiance ; il mettait les auteurs américains dans le même sac que les gangsters russes, avec qui il avait eu l'occasion de faire affaire sur des titres par le passé. Les gangsters estimaient qu'un titre pouvait aider en cas d'arrestation. « *Vous êtes en droit d'indiquer votre titre sur votre passeport, sur les chéquiers et les cartes de crédit, un bel avantage, Lord of Overlook. Imaginez l'impression que vous ferez dans un hôtel quand vous tendrez votre moyen de paiement.*

– C'est ce dont j'ai besoin, dit l'ours, faire impression.

– *Je vous comprends tout à fait. De même, vous pouvez vous attendre à voir les délais d'adhésion aux clubs les plus fermés du monde grandement accélérés. Et vous serez assurément invité à des réceptions où les membres de la famille royale seront présents.*

— La princesse Diana.

— *Ce n'est pas impossible.*

— Elle a de belles miches.

— *Je partage en partie votre sentiment, monsieur*, répondit Bagget qui s'empressa d'orienter la conversation vers un terrain moins glissant. *Je dois vous prévenir… vous risquez également de vous voir proposer de siéger au conseil d'administration de certaines sociétés. Je suis sûr que bon nombre d'entreprises de la région de Los Angeles seraient honorées de votre participation.*

— Et si on m'intente un procès ?

— *J'espère sincèrement que cela ne vous arrivera pas, mais si tel devait être le cas, le prestige d'un titre légitime pèsera largement en votre faveur devant n'importe quel tribunal du monde civilisé. Je suggère que nous concluions l'affaire sans plus attendre, afin que la protection que vous confère votre titre soit immédiate. Pour ce faire, comme je vous l'ai dit, nous avons simplement besoin que les fonds soient virés à notre banque.*

— Pas de problème, dit l'ours.

— *Je devrais vous préciser par ailleurs qu'aucune terre n'est attachée au titre, mais si vous souhaitez acquérir une gentilhommière dans le North Devon, où Overlook est située, Bagget and Smallwood se tient à votre disposition pour vous épauler. Overlook est une très jolie région agricole, et je suis certain que nous pourrions vous trouver quelques hectares assortis d'une belle demeure. Ainsi vous pourriez fouler au pied cette terre qui fait partie de la glorieuse histoire de votre titre. »*

L'ours rentra à New York en tant qu'Overlook, vingt-cinquième Lord du Manoir, North Devon. Elliot Gadson lui assura qu'il n'y avait aucune inquiétude à avoir concernant l'action en justice. Non seulement les avocats de Cavendish Press étaient déjà sur le pont, mais ils étaient de surcroît épaulés par les cadors du service juridique de la maison mère, Tempo Oil. « … Et ces gars-là ne s'en laissent pas conter, Dan. Pas question que leur auteur phare soit importuné d'une quelconque manière. »

L'ours avait désormais compris qu'il n'avait pas acheté le titre d'un livre, mais une forme d'identité, ce qui était encore mieux. Il avait demandé à Bagget and Smallwood de se porter acquéreurs en son nom d'une propriété à Overlook, afin qu'il puisse bientôt disposer d'un vrai manoir dont il serait le Lord. Le cabinet Bagget and Smallwood lui avait envoyé une plaque portant les armoiries des Overlook, qu'il avait accrochée au mur de son salon. Il trouvait cela chic. Parce qu'il était un ours.

Il s'étendit sur le tapis de son salon, sur un matelas de massage électronique qui dirigeait de petites billes et doigts motorisés dans différentes parties de son dos, le grattant aux endroits qu'il ne pouvait atteindre. Les pattes croisées sur son ventre, laissant les billes rouler le long de sa colonne, il songea à l'époque où il devait se débrouiller seul contre un tronc d'arbre – comme c'était vulgaire, comme c'était primitif! Lentement, sa langue glissa à la commissure de ses lèvres où elle demeura pendante, extatique.

Un coup de sonnette mit un terme à son extase. Avec un soupir, il éteignit le gratteur et se dirigea vers l'entrée. La sécurité de l'immeuble ne laissait monter personne sans l'annoncer au préalable, si bien que l'ours supposa que l'homme sur le seuil faisait partie de l'équipe de maintenance. « Vous avez besoin de réparer quelque chose ? demanda-t-il.

– Vous êtes Dan Flakes ?

– Oui. »

L'homme lui tendit une feuille de papier pliée. « Je suis venu vous remettre ceci en mains propres.

– Merci », dit l'ours. Il aimait l'idée d'être propre. Il donna à l'homme un billet de dix dollars.

L'homme considéra l'argent avec regret. « Navré, je ne peux pas accepter. » Il repartit vers l'ascenseur tandis que l'ours retournait dans son appartement. Elliot Gadson l'avait prévenu qu'il allait sans doute remporter quelque chose qui s'appelait le National Book Award. Était-ce cela ? Il déplia la feuille que l'homme lui avait remise. Les mots étaient inscrits en gros, comme il aimait. Il lut lentement :

Cour supérieure de justice
Aroostook County, Maine
ASSIGNATION À COMPARAÎTRE DEVANT LA CHAMBRE CIVILE
Arthur Bramhall, plaignant
Contre
The Cavendish Press
Et Dan Flakes, une personne prétendant être l'auteur de l'ouvrage *Désir et Destinée*.

Était-ce le National Book Award ? L'ours fit tourner la feuille entre ses pattes comme si la regarder sous un autre angle allait l'aider à mieux la comprendre. Puis il la renifla. Il n'y avait rien d'autre que l'odeur fade du papier et celle, âcre, de l'empreinte du pouce de l'homme qui l'avait apportée, un peu semblable à du pastrami ; l'ours avait beau apprécier cette odeur, il avait l'étrange sensation qu'elle était hors de propos. Alors lentement, très lentement, il commença à saisir le sens du bout de papier.

Il fixait l'imprimé, comme si des dents de métal étaient cachées sous sa surface. Il était capable de tenir tête à une meute de chiens sauvages affamés mais comment lutter contre un bout de papier ? Le piège s'était refermé et le tenait entre ses mâchoires.

Il jeta l'assignation par terre. « Je vais faire comme si elle n'était jamais arrivée », dit-il à voix haute, mais rien qu'en le prononçant, il savait que cela ne donnerait rien.

L'assignation gisait là, presque avec suffisance, comme si elle avait conscience qu'elle le tenait et qu'il ne pourrait pas lui échapper. Il considéra la forme blanche et rectangulaire. Il aurait beau sauter dessus, la mettre en lambeaux et avaler les morceaux, son sinistre pouvoir demeurerait intact.

Se laissant tomber lourdement dans son fauteuil poire, il tendit la main vers son pot de miel. Au désespoir, il l'ouvrit et le vida d'un trait ; il voulait sombrer dans l'oubli, flotter dans une mer de douceur et disparaître. Il s'essuya la bouche du revers de la patte.

L'épouvantable assignation était à portée de son orteil. Il la toucha légèrement, s'attendant à l'entendre souffler ou même parler, pour lui dire : « Demain, tu seras mis en cage. »

Posant le talon dessus, il la traîna jusqu'au fauteuil. Sans ménagement, comme il mettait les ruches en pièces lorsqu'il cherchait du miel, il s'empara de la feuille et la secoua, espérant voir les mots s'envoler comme des abeilles. Mais nul petit kamikaze aux ailes brillantes ne vint se jeter sur lui. La ruche des mots demeurait indifférente à son attaque.

L'ours relut lentement l'assignation, suivant les lignes du bout de la patte. Il la lut en entier plusieurs fois.

Arthur Bramhall, plaignant

Contre

The Cavendish Press

Et Dan Flakes, une personne…

Avec un rugissement de plaisir, il lança la feuille dans les airs.

« Une personne ! Ils m'ont appelé une personne ! » La ramassant, il lut de nouveau, à voix haute : « Dan Flakes, une personne ». Aucune erreur.

Portant l'assignation à son bureau, il l'y posa avec soin. Jamais il n'avait reçu de document aussi important que celui-ci. « Une personne… pas un ours. J'ai réussi. Je suis une personne. C'est officiel. »

Il dansa sur le tapis, pattes en l'air. « J'appartiens enfin à la race humaine ! »

« Entrez, my Lord, entrez. » Elliot Gadson attendait dans une salle de conférences de Cavendish Press, en compagnie d'un avocat de la Tempo Oil, lequel montra envers le titre de noblesse le genre de déférence que Bagget and Smallwood avaient prédite dans leur petite annonce. L'ours entra d'un pas léger, car non content d'être Lord du Manoir, il était surtout, et c'était ça le plus important, une personne. Il prit place au bout de la table. Remarquant son sang-froid, l'avocat l'attribua non seulement à son ascendance aristocratique mais aussi à l'innocence d'un écrivain n'ayant rien à craindre d'un dingue qui lui intentait un procès sans fondement. Gadson avait un goût pour la solennité théâtrale et il était ravi de pouvoir se prêter aux présentations désormais de mise. « Dan Flakes, vingt-cinquième Lord of Overlook.

– John Warwick », répondit l'avocat senior de Tempo Oil. Le visage de Warwick trahissait l'expérience des dossiers hautement complexes, dans lesquels des milliards de pétrodollars étaient en jeu. Lui qui savait jauger un homme d'un seul regard était satisfait de l'apparence de Dan Flakes. Sa robustesse, sa confiance en lui et sa bonne santé passeraient bien devant les juges. « Je suis navré de devoir vous déranger avec cette affaire, mais nous devrions avoir rapidement réglé les choses. J'ai dévoré votre livre et ma femme aussi. »

L'ours le remercia d'un signe de tête, le signe de tête d'une personne légalement certifiée comme telle.

« Vous êtes important pour nous, Dan. » Warwick fit un geste en direction de Gadson, qui en réponse émit un petit son de circonstance. « Notre but est de faire de l'argent, ce n'est un secret pour personne, continua Warwick. Et tout le monde sait aussi que vous nous en avez rapporté beaucoup. Nous sommes ici pour vous protéger et pour *nous* protéger. Maintenant… » Il ouvrit sa mallette et posa quelques documents sur la table. « Nous avons reçu une série de questions auxquelles vous allez devoir répondre. Elles nous ont été envoyées par l'avocat représentant l'individu qui vous poursuit en justice. » Warwick tendit les papiers à Flakes. « Juste les trucs de base. Date et lieu de naissance, ce genre de chose. »

L'ours contempla les questions. Il était né dans un arbre creux. Son adresse précédente était une grotte. Il porta de nouveau le regard sur Warwick. « Non », dit-il en lui rendant le questionnaire.

« Je sais que ce sont des questions triviales, Dan, et qu'elles vous font sans conteste perdre votre temps et le nôtre. Mais cette plainte se résume à ça, voyez-vous. Elle est conçue pour être gênante et coûteuse, pour nous pousser à capituler et à accepter une transaction. Chose que nous ne ferons pas.

– Ce n'est pas que je ne suis pas une personne, commenta l'ours. Je suis une personne, c'est sûr. »

Gadson intervint, sentant que la question était délicate et que Dan y était plus sensible que beaucoup. « Dan fait très attention à ne rien divulguer de son passé. Malgré les liens professionnels étroits qui nous unissent, il n'a jamais mentionné une seule fois qu'il était un Lord anglais. Je le souligne afin de démontrer à quel point il est discret sur sa vie privée. À notre époque, la plupart des gens ne résisteraient pas à l'envie d'afficher leur pedigree, si tant est qu'ils en aient un. Mais Dan, et c'est tout à son honneur, trouve déplacé de devoir mentionner ses origines. Ai-je raison, Dan ?

– Je suis une personne. C'est écrit juste ici. » L'ours agita l'assignation vers Warwick.

Warwick, qui avait l'habitude d'affronter des défenseurs de l'environnement, voyait cette affaire Flakes comme une bouffée d'air frais – personne n'avait déversé de mazout sur le canard de qui que ce soit. Mais Flakes était… eh bien… étrange. Warwick savait que les aristocrates anglais pouvaient parfois l'être. Il s'éclaircit la gorge et essaya de nouveau : « Ce que dit cette assignation, Dan, c'est que quelqu'un qui prétend être vous vous poursuit en justice parce que vous prétendez être lui. C'est du vent, vous êtes un auteur de renom, et un Lord de surcroît, tandis que lui n'est qu'un opportuniste, ou bien – et on ne peut absolument pas écarter cette possibilité dans ce genre d'affaire – il est délirant. Mais nous avons dans tous les cas besoin de vos réponses à ces questions. Nous devons établir votre bonne foi. » Warwick lui adressa le sourire patient qu'il utilisait quand un pétrolier de la Tempo Oil coulait en mer. « Je comprends que vous ne jugiez pas nécessaire de parler de votre illustre famille. Et je suis également conscient du fait que vous avez cultivé une mystique du mystère propre à booster les ventes de votre livre. En fait, nous allons la préserver, voire l'embellir. Mais ce que nous préservons avant toute chose, c'est votre argent. Et le nôtre. » Il fit glisser le questionnaire vers Dan Flakes le long de la table de conférence.

L'ours le repoussa. « Non.

– Mais pourquoi, Dan ? Je veux dire, my Lord ? Quelle objection voyez-vous à nous dire où et quand vous êtes né ? Nous n'allons pas le publier. »

Gadson intervint de nouveau. « La vie de Dan représente son capital d'écrivain. Il ne souhaite pas aller y puiser inutilement.

– S'il perd ce procès, il sera obligé de puiser dans son capital, et pas qu'un peu. »

« Il a refusé de se soumettre à notre questionnaire, annonça Easton Magoon. Je ne comprends pas du tout pourquoi. Les juristes de la Tempo Oil le représentent, je crois qu'ils nous préparent un coup tordu. Je vais rédiger une requête pour les obliger à répondre. » Magoon avait la réputation d'être un avocat de campagne à l'ancienne particulièrement rusé et plein de bon sens. « Au fait Bramhall, vous avez un autre costume ? Celui-ci ne vous va pas du tout.

– Il m'allait dans le temps.

– Quand ? Au lycée ? Les manches vous arrivent presque aux coudes. La ceinture est déchirée. »

Bramhall laissa échapper un grognement impatient, car le simple fait d'être ici lui coûtait énormément. À ce jour encore, les ombres de la grotte continuaient de déformer sa perception des choses. Les objets dans le bureau de Magoon qui auraient dû lui être familiers – une pendule, un cadre photo, un porte-documents – lui semblaient sinistres, des éléments d'une grande illusion qu'il devait à présent rallier. Seule la brise qui entrait par la fenêtre paraissait une compagnie agréable. Ses orteils étaient horriblement à l'étroit dans les chaussures qu'il portait ; il rêvait de marcher pieds nus sur le sol d'une forêt jonché d'aiguilles de pin à la lueur douce d'une lune de rêve. Ces souvenirs s'agrippaient à lui, plaidant discrètement leur cause, tandis que Magoon envisageait une autre plaidoirie, celle qu'ils auraient à mener véritablement, expliquant ce qu'ils devaient faire pour gagner. « Je vous recommande d'acheter un costume à votre taille. Un homme dont les manches de la veste sont trop courtes et dont le pantalon est déchiré ne fait pas bonne impression sur le jury. »

De nouveau, Bramhall grogna une réponse. Il se montrait irascible, comme les ours le sont au printemps, et cela l'inquiétait, parce qu'il se sentait capable de blesser sérieusement quiconque se mettrait en travers de sa route. Il reconnaissait à peine ses émotions. Par moments, il se sentait dans la peau d'une autorité souveraine, comme un roi. Et tout aussi vite, cette sensation était remplacée par une autre, celle d'une stupidité paralysante, qui figeait entièrement ses pensées. D'autres fois, il avait l'impression d'être redevenu celui qu'il était avant, un professeur d'université solitaire, socialement inepte mais travailleur et intelligent, assez intelligent pour avoir écrit un best-seller. Une colère d'ours, aveugle, s'emparait alors de lui.

Lisant la confusion dans les yeux de son client, Magoon se pencha vers lui avec bienveillance, les doigts croisés sur le bureau. « Je commence à me dire qu'on a des arguments. Il est possible qu'ils n'aient pas répondu à notre demande de renseignements parce qu'il y a quelque chose de louche dans le passé du bonhomme. Je n'ose pas compter dessus, mais je peux toujours l'espérer. Et il y a autre chose que j'espère, Bramhall. Puis-je continuer à vous parler franchement ? »

Bramhall haussa les épaules en signe d'acquiescement. Magoon dit alors : « J'espère que d'ici le procès, vous apprendrez à vous exprimer plus clairement.

Bramhall grogna. « J'ai contracté… un handicap.

– Les troubles du langage peuvent parfois attirer la compassion du jury. » Magoon se renversa dans son fauteuil et croisa les mains sur sa bedaine. « Mais à vous entendre, on a l'impression que vous déchiquetez un quartier de viande crue. Je ne pense pas qu'un jury trouvera cela sympathique.

– Je sais, grogna Bramhall. C'est affreux.

– Un orthophoniste pourra peut-être vous aider.

– Je m'exprimais parfaitement bien dans le temps.

– Et votre costume vous allait. » Se tournant vers la fenêtre, Magoon fixa l'enseigne décolorée du magasin Feed and Seed, perdu dans ses pensées. « Peut-être que je devrais dire à la cour que vous avez été blessé à la gorge en jouant au football. Ou en sauvant un enfant de la noyade. Oui, c'est mieux. » Il se retourna vers Bramhall. « Les cordes de sauvetage se sont tordues et vous ont pris au larynx.

– Ma voix a changé alors que je dormais dans une grotte.

– Encore une fois : pas le genre de chose qui nous attirera la compassion du jury. Mais juste pour ma gouverne : pourquoi dormiez-vous dans une grotte ?

– J'étais démoralisé. Je voulais vivre comme un animal.

– Et ?

– J'ai été… attiré par une grotte. J'y ai passé la plus grande partie de l'hiver.

– Vous avez passé un hiver du Maine dans une grotte ? »
Magoon scruta le regard de Bramhall, essayant de juger
de la santé mentale de son client. Il avait l'air torturé, mais
Magoon ne parvenait pas pour autant à y discerner de vrais
signes de démence. « Vous avez besoin d'une coupe de cheveux, de vous raser et d'un nouveau costume. Allez-vous
vous en occuper ?

– Oui.

– Bien. »

Bramhall caressa la barbe épaisse qui lui couvrait le visage. « Je dois me raser trois fois par jour maintenant. » Il
passa la main sur son front. « Et je suis devenu poilu. L'esprit… peut influer sur le corps.

– Je suggère une crème dépilatoire.

– Tout ce que vous voudrez.

– Les petits détails, Bramhall. Ils risquent d'être importants. » Magoon plissa le nez. « Et une eau de Cologne efficace. Aspergez-vous un bon coup, ça ne vous fera pas de mal
non plus. »

Bramhall pencha la tête de côté, reniflant. « Je sais, je sens
comme un animal.

– Aspergez-vous plusieurs fois, peut-être. Ou mieux :
videz toute la bouteille sur vous.

– Très bien, dit Bramhall avec un air de chien battu.

– Je n'ai pas envie de vous donner des ordres. Mais nous
devons vous présenter sous le meilleur jour possible. Quand
vous passerez devant le jury, je veux qu'ils voient en vous un
citoyen bien sous tous rapports. Quelqu'un avec qui ils se
sentiront des atomes crochus.

– Je suis devenu très timide.

– La timidité n'est pas un problème, ce peut être une qualité attachante. Mais vous avez l'air *traqué*. Depuis que vous

êtes assis là, vous n'avez pas cessé de jeter des regards par-dessus votre épaule.

– Je *me sens* traqué.

– Vous êtes dans mon bureau. Personne ne vous menace. Si cela devait arriver, je les ferais arrêter. » Magoon baissa de nouveau le regard vers ses notes et s'abandonna à la réflexion. Il avait une chance de remporter ce procès, car Bramhall disait la vérité.

Magoon pivota vers la fenêtre tout en songeant à la façon dont il aborderait le jury. *On a dérobé à mon client son bien le plus précieux. La perte l'a presque rendu fou.*

Il contempla de nouveau les traits tourmentés de Bramhall. La souffrance qui se lisait sur son visage aiderait, pour peu qu'il porte un costume à sa taille.

« La cour nous a sommés de répondre, dit Warwick.

– Dan n'acceptera pas, répondit Gadson.

– Il n'a pas le choix.

– C'est quelqu'un de tellement discret. Peut-être que vous pourriez remplir le questionnaire vous-même et le lui donner à signer…

– Êtes-vous en train de demander à un juriste de ma stature d'inventer des faits pour un client ?

– Ou alors… Bettina pourrait s'en charger, qu'en dites-vous ? Elle a déjà imaginé tout un tas d'anecdotes à son sujet. Il s'agirait juste de terminer le boulot. »

« Voilà, Dan, dit Bettina. Il ne vous reste plus qu'à les signer. »

L'ours considéra le questionnaire avec suspicion.

Bettina posa délicatement la main sur son épaule. « Ne vous en faites pas, Dan. Ça a l'air très officiel, mais ça n'est qu'une autre façon de faire de la communication. Ce ne sont que des petits détails sur votre vie que les gens apprécieront de lire. »

L'ours renifla les documents. Ils étaient imbibés du parfum de Bettina, et cela le rassura. Il les parcourut, laissant sa patte glisser très lentement sous chaque ligne. Ils décrivaient une vraie personne, dotée d'une date et d'un lieu de naissance, ainsi que beaucoup d'autres chouettes trucs. Il commençait à vraiment apprécier ce questionnaire. En fait, il en était fier. Celui-ci recelait des renseignements sur sa personne. « C'est à moi », dit-il. Et il signa.

Le printemps était arrivé quand l'affaire de l'ours fut présentée devant la cour supérieure du Maine. Il descendit avec John Warwick dans la seule pension proposée en ville – un bed and breakfast délabré de Main Street. La véranda abritait des rocking-chairs branlantes installées en demi-cercle, sur lesquelles ils se trouvaient assis. Le bâtiment jouxtait d'un côté la caserne des pompiers volontaires et de l'autre un magasin de pêche. Quelque part au loin murmurait la rivière qui avait donné à la ville sa timide raison d'être.

« Eh bien, ce qui est clair c'est que ça nous change », remarqua Warwick, la tête cernée par une nuée de mouches.

L'ours huma l'air. Un nuage d'averse de printemps suspendu au-dessus de leur tête n'allait pas tarder à doucher la forêt environnante. Sa présence le troublait, car elle distillait un grand nombre d'odeurs familières, qui montaient du sous-bois. L'air lourd et humide colorait le chant des oiseaux qui annonçaient l'orage – il ne pouvait s'empêcher de leur en vouloir – eux qui célébraient ce qui lui était désormais interdit : le plaisir d'être sous la pluie. Il avait un parapluie, désormais, en cas d'urgence.

« Je me dis toujours que je vais louer quelque chose à la campagne pour l'été. Mais je ne le fais jamais. » La voix de Warwick était pleine de mélancolie, celle d'un homme débordé accoutumé à réfréner ses désirs. « J'ai toujours autre chose à faire. Classique, n'est-ce pas ?

– Oui », fit l'ours, qui se demandait pourquoi sa chère

forêt n'était plus la sienne à présent. Puis cela lui revint et il dit à voix haute : « Je suis une personne. »

Warwick lui jeta un regard. Flakes disait assurément des choses étranges. Warwick, qui disposait d'une grosse équipe de collaborateurs méticuleux dans leurs recherches, savait déjà que Flakes avait acheté son titre. Ses collaborateurs lui avaient également fait le résumé des principales affaires de plagiat des cinquante dernières années. Ils avaient établi un dossier sur le plaignant, Arthur Bramhall, qui remontait jusqu'à sa naissance. En revanche, ils avaient été incapables de dénicher la moindre information sur Dan Flakes, leur client. Le manque de coopération de Flakes perturbait Warwick, et plus perturbant encore était le fait que l'homme n'avait aucun passé. Tout le monde a un passé dans cette vie, à moins d'en avoir délibérément effacé toutes traces.

L'ours se balançait sur son fauteuil, identifiant et triant les indices odorants du printemps sur son territoire natal. L'air humide charriait les effluves des animaux sauvages vaquant à leurs occupations solitaires – un chevreuil grignotant des bourgeons, un renard rôdant sur la pointe des pattes, un porc-épic grimpant lentement dans un arbre. La magie primitive fouettait son sang, et les grincements du rocking-chair s'accélérèrent. Je pourrais m'éclipser. En une minute, je pourrais disparaître. Ce cirque dans lequel je me suis fourré resterait en suspens derrière moi comme une toile d'araignée désertée, vers laquelle personne ne revient jamais. Les vallées, les prairies, le miel dans les ruches seraient de nouveau miens. Je marquerais la terre de mon empreinte, avec mon rugissement je ferais trembler les montagnes.

D'un bond, il se leva, son moi primordial sortant de son hibernation dans la luxueuse grotte de velours de l'humanité. Il emplit ses poumons de l'orage à venir et secoua la tête, de petits mouvements vifs destinés à la débarrasser des derniers lambeaux soyeux de l'exécrable confort d'être un homme.

Un taxi cabossé venu de l'aéroport se gara devant le bed and breakfast. « Dan, je suis si soulagé de vous voir », lança Chum Boykins, gravissant en hâte la volée de marches de l'entrée, valise à la main. « Je suis parti dès que j'ai pu. Tenez, je nous ai apporté un cheesecake de New York, ça nous aidera à nous concentrer. »

L'ours sentit son courage l'abandonner, l'odeur du cheesecake éclipsant les autres tandis qu'il baissait le nez vers la surface humide, sucrée, fascinante.

Boykins se tourna vers Warwick. « Comment ça se présente ?

– Bien, fit Warwick avec l'assurance de façade qu'on attend d'un homme capable de faire bonne figure quand deux cent mille barils de pétrole sont déversés dans des eaux de pêche de première qualité.

Boykins s'assit, son regard fébrile se posa sur les deux fauteuils vides en face de lui. Il corrigea légèrement leur disposition. « Bettina dit que nous allons pouvoir tourner cette histoire de procès à notre avantage, que c'est juste un surcroît de publicité pour Dan, mais je n'aime pas ça du tout. La moindre mention d'un éventuel plagiat est dévastatrice. Les réputations peuvent se défaire en une nuit. » Boykins redressa de nouveau légèrement l'un des fauteuils inoccupés, au cas où Mickey Mouse passerait par là. Le jour du procès approchant, son médecin avait dû remplacer le Prozac par du Zoloft. Boykins tourna le regard vers les sombres collines boisées qui cernaient la ville. « Toute cette nature sauvage inexplorée doit sacrément vous inspirer, j'imagine, Dan. Il est néanmoins stupéfiant de voir comment vous avez fait d'un coin aussi paumé une histoire aussi passionnante. Parce qu'il n'y a rien par ici. Qu'est-ce qu'on voit quand on regarde ? Des arbres, des collines, une mouffette, un village en bordure de nationale. Le prochain livre va aussi se passer ici ?

– Je ne l'ai pas encore trouvé, répondit l'ours, la bouche pleine de cheesecake.

– Mon instinct me dit que vous devriez faire comme la dernière fois, ça a marché.

– Peut-être que je ne le trouverai jamais.

– Ne dites pas ça, Dan. Le livre numéro deux est déjà en train de prendre forme en vous. » Boykins portait un grand intérêt à l'avenir de son auteur. Les agents se succédaient, et les agents névrosés plus vite encore ; il n'y avait qu'un Dan Flakes en revanche. Et Boykins pressentait un désastre à venir.

« Pourquoi est-ce que je me casse la tête avec ça, Vinal ? »
La nuit était tombée, et Bramhall était assis en compagnie de
Pinette devant le fourneau du vieux bûcheron. Une unique
ampoule nue suspendue au plafond éclairait la cuisine, et
des papillons de nuit voletaient contre la moustiquaire de la
fenêtre, essayant d'atteindre la lueur qui les avait attirés loin
des champs. « Pourquoi est-ce que je livre cette bataille ?

– Pour savoir ce qui est arrivé à votre mallette. À mon
avis, ce type, Flakes, il a descendu l'ours d'un coup de fusil
alors que la bestiole trimbalait la mallette et puis il est parti
avec, en se disant que l'ours ne pourrait de toute façon plus
en faire grand-chose. » Pinette tisonna le feu dans le fourneau. « La question que je me pose c'est : est-ce qu'il a fait
bouillir l'ours ? Parce que ça serait crétin de gâcher toute cette
bonne graisse. »

Bramhall se tourna vers la fenêtre. Un gigantesque papillon de lune venait de foncer dans la moustiquaire, agitant
furieusement ses ailes vert pâle.

« Bon sang, fit Pinette, il est mastoc c'lui-là. On en voit
pas des masses des comme ça. »

Contemplant le papillon, Bramhall sentit une émotion
fragile le traverser furtivement. Il avait tourné le dos à la
forêt, mais celle-ci ne l'avait pas oublié ; ce messager de la
nuit tout de vert vêtu venait le chercher, afin de ramener à
sa mémoire ces régions enchantées qu'il avait explorées de
jour comme de nuit, et même en rêve. Les yeux du papil-

lon étincelaient ; sa gigantesque antenne s'agitait, et ses ailes bougeaient si vite qu'elles étaient la source d'une luminosité fascinante. Bramhall se leva brusquement et gagna le salon. Les gros coussins informes du canapé et des fauteuils étaient noyés dans les ombres, et Bramhall resta là, dans l'obscurité, jusqu'à ce que l'enchantement disparaisse. Il se sentit alors aussi mou et informe que les meubles.

Après avoir pris leur repas du soir dans un *diner* du coin, l'ours, son avocat et son agent se promenèrent le long de Main Street. Boykins marchait les yeux baissés, afin d'éviter les fissures dans le trottoir.

« Cherchez une mallette, dit l'ours.

– Pourquoi, vous en avez perdu une ?

– Pas moi, mais peut-être quelqu'un, répondit l'ours. »

John Warwick écoutait la conversation des deux hommes sans dire un mot. Flakes avait un charisme incroyable, mais ce qu'il disait n'avait guère de sens. Bon sang, quelle impression allait-il bien pouvoir faire au jury ?

Boykins poursuivit son recensement des fissures.

Qu'est-ce qui se passe ici ? se demanda l'ours en flairant l'odeur d'Arthur Bramhall à l'autre bout de la salle d'audience. Il se tourna vers son avocat : « C'est un ours.

– Quoi ?

– Un ours ! dit l'ours tout excité. C'est un ours qui essaie de devenir une personne ! »

Quelques membres du jury qui s'étaient retournés les dévisageaient. Warwick lui chuchota « On discutera plus tard, Dan. »

Chum Boykins fit son entrée. Il se soumit à son petit rituel ordinaire, essaya plusieurs chaises avant de choisir celle qui était indiscutablement la bonne. Puis il se leva et en choisit une autre.

Avec sa chemise à carreaux et ses larges bretelles sous son costume, Eaton Magoon, l'avocat du plaignant, avait tout du typique péquenaud mal dégrossi. Arthur Bramhall était assis à côté de Magoon dans son nouveau costume de supermarché. Lequel ne lui allait guère mieux que les autres, car au moment de l'acheter, Bramhall s'était laissé gagner par l'indécision. Il avait beau s'être versé par ailleurs un plein flacon d'eau de Cologne sur le corps avant de se présenter à l'audience, il savait qu'il puait encore comme un animal. Il se tenait la tête basse, car il ne se sentait toujours pas capable d'affronter autant d'humains à la fois. Déprimé, isolé du monde, des poils sur le front, il leva furtivement les yeux quand son avocat s'avança pour prononcer sa première déclaration devant la cour.

« Votre honneur, mesdames et messieurs, Arthur Bramhall a travaillé tous les jours dans un petit chalet, que certains d'entre vous connaissent peut-être si vous avez chassé dans la région. Arthur est heureux de laisser les gens chasser sur ses terres pour le plaisir de lever les yeux de son ouvrage et de voir un voisin traverser le vieux champ, à l'affût de petit gibier. Le gibier d'Arthur est différent, cependant. Arthur chasse les mots, il vise la phrase parfaite. Tous ceux qui passent dans son allée savent ce qu'ils vont voir : Arthur à sa fenêtre, penché sur sa machine à écrire, en train de recréer la vie telle qu'il la connaît, la vie dans le Maine, la vie telle qu'elle devrait être. » Magoon adressa au jury un sourire amical. « Certes, il venait d'*ailleurs*. Mais il s'est rapidement intégré. Il a appris ce qu'est la vie à la campagne, appris à la respecter jusqu'au moment où il a été capable de coucher par écrit son expérience, comme s'il avait toujours vécu ici. »

Magoon marqua une pause et laissa son regard passer lentement d'un juré à l'autre. « Après avoir raconté la façon dont nous vivons ici, après avoir consacré l'intégralité de son année sabbatique à parler de ce qu'est la vie dans le Maine, il s'est fait voler son livre. »

Magoon arpentait la salle dans un sens puis dans l'autre, avec des gestes théâtraux, et l'ours l'observait avec attention, essayant de s'imaginer en train d'arpenter la salle ainsi, en ponctuant ses propos compliqués de grands mouvements de pattes.

« Face à la disparition de son manuscrit, pour lequel il s'est donné tant de peine, mon client a failli perdre la raison. Mesdames et messieurs les jurés, regardez-le et voyez la souffrance sur son visage. C'est le visage d'un homme à qui l'on a volé le travail d'une vie. Il était jadis professeur d'université. Oui, ici même, dans notre université du Maine.

Il a perdu ce poste, perdu ses amis. Il ne peut plus enseigner désormais, car il peut à peine parler. Sa voix a souffert de ce qu'il a perdu, comme son apparence dans son ensemble. Il est à bout, mes amis, ses fonctions corporelles ont été modifiées. »

L'ours hochait la tête en signe d'assentiment, savourant le flot cadencé et incompréhensible des paroles de Magoon. C'était comme le babil d'un ruisseau du Maine au printemps.

« Dan, lui chuchota John Warwick, arrêtez. » Warwick se montrait de plus en plus inquiet. Son adversaire, Magoon, était un cabot de première catégorie qui jouait à domicile. Et le juge Wendell Spurr avait l'air du genre à ne pas apprécier les avocats venus de la grande ville défendre une célébrité. Moins encore quand ladite célébrité hochait le menton comme si elle approuvait les accusations de Magoon à son encontre.

Jetant un regard en coin au célèbre romancier, Warwick se demanda : qu'est-ce qui ne tourne pas rond chez Flakes ? Ce qui se passe ici n'a pas l'air de l'intéresser.

« … et nous prouverons, mesdames et messieurs, sans le moindre doute possible, que mon client a bel et bien écrit *Désir et destinée* et que cette personne… » Magoon désigna l'ours. Lequel, enchanté qu'on le qualifie de personne, acquiesça avec enthousiasme et frappa ses pattes l'une contre l'autre.

« … cette personne, qui semble n'avoir absolument aucun remords, a volé *Désir et destinée*, s'en est attribué la paternité, et en a tiré un immense profit. Elle a profité des fruits du travail de mon client, profité de l'inspiration d'un autre homme. Ça n'est pas ainsi que nous faisons les choses dans le Maine. Et pourtant, cette personne se trouve là, dans ce

271

tribunal, affichant un air suffisant et satisfait, se croyant au-dessus des lois. » Magoon foudroya l'ours du regard et eut droit en retour à un geste de la main amical qui le laissa interloqué.

Que manigance-t-il donc ? se demanda Magoon. Quel genre de stratégie Warwick lui a-t-il proposée ? Magoon considéra les cheveux gris acier du ténor du barreau, son regard calculateur, sa Rolex. Et son client se comportait comme un homme certain de sa victoire. Mon Dieu, songea Magoon, je ne serai jamais à la hauteur. Il jeta un regard en coin à Arthur Bramhall, fauché comme les blés, qui ne lui devrait quelque chose que s'il remportait le procès, et à qui il avait déjà consacré énormément de temps.

Warwick se présenta devant le jury pour son exposé introductif, défendant son client contre cette « accusation ridicule. Dan Flakes est célèbre à travers le pays pour son intelligence, ses traits d'esprit pleins de philosophie, son sens de l'humour, en d'autres termes pour tout ce que l'on attend de l'auteur de *Désir et destinée*. »

Warwick jeta un regard rapide en direction d'Arthur Bramhall et le jury fit de même. L'homme ressemblait à un bûcheron à un enterrement. Sentant les yeux du jury sur lui, Bramhall baissa la tête encore davantage, affichant l'expression d'un animal pris sur le fait, tel un raton laveur qui aurait volé des œufs dans un poulailler.

« Mon client, poursuivit Warwick, reportant son regard sur l'ours, impeccablement vêtu, est un homme d'une réputation irréprochable qui a accédé à une position de haut rang dans le monde littéraire. Récemment, lors de sa tournée de promotion, il a sauvé la vie du vice-président des États-Unis, un acte d'héroïsme incroyable dont je suis sûr que beaucoup parmi vous se souviennent. C'est un homme cultivé et plein de savoir-vivre. Il détient – et cela se sait peu – le titre de Lord. » Warwick marqua une pause et pencha légèrement le buste en direction de l'ours. « Il est Lord of Overlook, du North Devon, en Angleterre. »

Eaton Magoon se leva d'un bond. « Objection votre honneur ! »

Tiré du demi-sommeil dans lequel il sombrait généralement lors des audiences, le juge Wendell Spurr redressa brusquement la tête et ajusta sa robe. Un Lord, songea-t-il. Eh bien, tout cela mérite qu'on se tienne droit et qu'on fasse les choses comme il faut. Une image de magistrats et d'avocats anglais en perruques blanches lui traversa la tête et il se sentit soudain lié à une grande tradition. Il adressa à Magoon un regard froid. La révélation stupéfiante de la présence d'un Lord anglais dans son tribunal lui avait donné un coup de fouet salutaire, et il n'allait pas laisser un homme de l'acabit d'Eaton Magoon venir tout gâcher. À l'image des juges emperruqués vint se joindre celle de parties de chasse à la perdrix sur le domaine d'Overlook ; il se voyait traversant un champ anglais, un fusil à la main, Lord of Overlook à ses côtés. L'air mauvais, il se tourna vers le banc du plaignant : « Quel est votre problème, Monsieur Magoon ?

– Cette information est sans rapport avec l'affaire, votre honneur », asséna Magoon, qui se débattait à contre-courant. En un seul regard vers le jury, il vit à quel point la chose avait impressionné les jurés. Et lui-même était d'ailleurs impressionné.

« Objection rejetée, répondit le juge Spurr. Le passé des deux parties est pertinent. »

Magoon se rassit et Warwick poursuivit. « Lord of Overlook ne fait pas usage de son titre dans la vie quotidienne, car c'est un homme modeste. Il n'apparaît pas sur ses livres ni dans aucune publicité en relation avec son nom. Mais vous le trouverez dans le grand livre d'histoire britannique, à la Commission royale des manuscrits, et aux archives publiques locales du North Devon. C'est un titre qu'il tient d'une famille dont les racines remontent au règne du roi Édouard, il y a plus de mille ans, époque où la famille Overlook a pour la première fois prêté serment d'allégeance à la Couronne. » Warwick inclina de nouveau légèrement la tête, comme si la couronne flottait devant eux tel le Graal. Il fut heureux de constater que plusieurs membres du jury l'avaient imité.

« C'est un homme qui n'a nul besoin de voler le livre d'un autre homme, pour la célébrité ou pour la gloire. Il est déjà assez célèbre, mesdames et messieurs les jurés, et possède un excellent patronyme, vieux et vénérable, synonyme de respectabilité et de pouvoir. Un Lord du royaume d'Angleterre n'a pas besoin de venir usurper une identité dans cette petite ville paisible du Maine. Il a déjà une identité enviable. Voir quelqu'un essayer de s'approprier *son* identité est bien plus probable. » Warwick fit un geste en direction de la table de son adversaire avant de se rasseoir brusquement.

Magoon se releva, secouant la tête et adressant au jury un sourire complice, comme s'ils venaient juste d'écouter ensemble l'argumentaire d'un vendeur de bardage en aluminium. En réalité, cependant, cette histoire de Lord anglais l'avait grandement perturbé. Le jury dévisageait toujours le client de Warwick avec une grande curiosité. La seule véritable excitation dans leur vie jusqu'ici avait été l'ouverture d'un magasin Tout à un dollar au centre commercial, la soirée T-shirts mouillés au bar La Tronçonneuse, et la sortie des livres sur les anges d'Eunice Cotton qu'ils achetaient à l'épicerie. Et brusquement, dans cet innocent décor bucolique, était apparu quelqu'un du nom de Lord of Overlook du North Devon.

Magoon appela son premier témoin, le vieux bûcheron Vinal Pinette. Il espérait qu'un homme qu'ils connaissaient tous, dont la vie au fond des bois respirait l'honnêteté, pourrait lui gagner la sympathie du jury.

« Monsieur Pinette, dit Magoon, reconnaissez-vous cet homme là-bas ? Êtes-vous en bons termes avec lui ? »

Pinette se tourna vers son ami. « C'est mon voisin, Art Bramhall.

– Pouvez-vous décrire à la cour de quelle sorte d'homme il s'agit ?

– Un bon gars.

– Lui rendez-vous souvent visite ?

– Oui m'sieur, on taille des bavettes.

– Et quand vous lui rendez visite, qu'est-il en train de faire d'habitude ?

– Il est installé dans l'auge des cochons. »

Devant les ricanements du jury, Eaton Magoon se dépêcha de corriger l'impression : « Vous le trouvez dans l'auge maintenant qu'il a perdu le moral, maintenant qu'il est tombé en dépression à cause de la disparition de son livre, maintenant qu'il a presque perdu toute envie de vivre. Mais avant cela, vous le trouviez en plein travail, à son bureau, n'est-ce pas ? »

Warwick se leva. « Objection votre honneur. Il oriente le témoin.

– Objection retenue.

– Pardonnez-moi, votre honneur. Monsieur Pinette, avez-vous jamais vu Arthur Bramhall en train d'écrire ?

– Je lui ai donné des idées plutôt pas mal. Il a pas encore eu l'occasion d'écrire dessus.

– Mais vous savez qu'il est écrivain.

– Ouaip.

– Vous avez vu sa machine à écrire ?

– Une ou deux fois.

– Et sa maison est pleine de livres.

– Couvrir ses murs de livres, c'est le truc le plus intelligent qu'il a fait. Les livres, c'est bien mieux que les copeaux de bois pour isoler une baraque. » Levant les yeux vers le jury, Pinette s'apprêtait à se lancer dans une discussion sur les matériaux isolants, mais Magoon le ramena dans le sujet.

« Les livres de Monsieur Bramhall ne servent pas à isoler. Monsieur Bramhall a des livres parce qu'il les lit. N'est-ce pas ?

– Peut-être », fit Pinette, qui hésitait encore à se ranger trop vite à une idée aussi radicale que l'existence d'un lecteur capable d'ingurgiter autant de livres qu'Art Bramhall.

– Et s'il les lit, c'est qu'étant écrivain, il a besoin de les lire. N'est-ce pas ?

– Comme j'ai dit, on travaille sur un livre tous les deux. Je lui fournis le matériau brut. »

Suspectant d'avoir ouvert la porte en grand à son adversaire, Magoon amena Pinette vers d'autres sujets, mais le mal était fait. Lors de son contre-interrogatoire, Warwick s'engouffra dans la brèche. « Monsieur Pinette, vous dites que *vous* donnez des idées à Monsieur Bramhall ?

– Plein d'idées.

– Vous a-t-il jamais proposé de vous rémunérer ? Vous a-t-il promis de vous donner votre juste part d'une idée qu'il utiliserait ?

– Jamais, répondit Pinette. Cela dit, on s'est jamais mis à écrire…

– Je vois… commenta Warwick, sa voix suggérant que Bramhall avait l'intention d'escroquer Pinette en lui volant ses idées. Merci Monsieur Pinette, ce sera tout. »

Quand Vinal Pinette se retira, Magoon appela le professeur Alfred Settlemire à la barre. Tandis qu'il observait les avocats, l'ours s'exerçait à quelques petits effets de manche et au jargon juridique : « Pourriez-vous s'il vous plaît dire au jury… Objection, votre honneur… Merci, ce sera tout…

– Monsieur, dit Magoon à Settlemire, vous êtes professeur à l'université du Maine, est-ce correct ?

– Oui.

– Et Arthur Bramhall était votre collègue ?

– Oui. »

Magoon désigna son client. « Est-ce bien Arthur Bramhall ?

– Oui, répondit Settlemire. Il a… changé cependant… depuis l'époque où il travaillait à l'université.

– Je n'en doute pas, étant donné qu'on lui a dérobé le travail de sa vie. À présent, Professeur Settlemire, avez-vous eu l'occasion de voir le manuscrit d'Arthur Bramhall ?

– Oui, j'en ai vu quelques chapitres.

– Vous avez vu quelques chapitres du manuscrit ? Vous les avez vus sur papier, dactylographiés ?

– En effet.

– Vous avez vu le roman d'Arthur Bramhall sous sa forme manuscrite ? Vous témoignez sous serment, monsieur.

– J'ai vu le roman.

– Plus de questions. »

John Warwick s'approcha du professeur Settlemire. « Professeur, pouvez-vous nous donner les grandes lignes du contenu de ce roman ?

– C'était la copie d'un best-seller.

– La copie d'un best-seller ? Voilà qui est intéressant. Je

viens d'entendre qu'Arthur Bramhall s'est inspiré des histoires d'un vieux bûcheron sans rien partager avec lui...

– Objection.

– Rejetée.

– Quel était le titre de ce best-seller, vous en souvenez-vous ?

– *Ne faites pas ça, Monsieur Drummond.*

– Votre collègue a produit une copie de *Ne faites pas ça, M. Drummond* ?

– Il a copié le style. Ce qui à mon avis n'était pas une bonne idée.

– Je suis d'accord avec vous, professeur. Ce n'est pas une bonne idée. C'est une idée qui peut mener à un grand nombre de complications. Mais revenons-y, qu'elle soit bonne ou pas. Vous dites qu'Arthur Bramhall a plagié – pardon, a copié – *Ne faites pas ça, Monsieur Drummond.* Avez-vous lu ce livre, professeur ?

– J'y ai jeté un coup d'œil.

– Pouvez-vous nous le décrire en quelques mots ?

– C'est de la sous-littérature à l'eau de rose.

– Et vous êtes, pourrait-on dire, une autorité sur ces sujets.

– On se plaît à le penser.

– Vous aimez que vos étudiants ne lisent que le meilleur, j'en suis certain.

– Tout à fait.

– Cela vous intéresserait-il d'apprendre, Professeur, que le livre de mon client, *Désir et destinée*, figure déjà dans les listes de lecture de plusieurs centaines de cours de littérature à travers le pays ? Qu'il a fait l'objet de critiques élogieuses de la part de sommités telles que Kenneth Penrod de l'université de Columbia et Samuel Ramsbotham de New York

University, deux des établissements d'enseignement supérieur les plus distingués du pays?

– Oui, je ne peux pas dire le contraire. Bien que le point de vue de Ramsbotham sur certaines choses…

– Tout ceci pour dire, Professeur, que mon client n'a pas plagié *Ne faites pas ça, Monsieur Drummond*, mais qu'il est bel et bien l'auteur d'un texte d'une grande originalité, qui plaît beaucoup aux lecteurs américains et qui a reçu le soutien de deux des plus grands esprits dans le domaine de la littérature américaine contemporaine. Cela ne ressemble en rien au manuscrit que votre collègue vous a montré, si?

– Non, admit Settlemire mal à l'aise, car il espérait, à sa façon particulière, avoir été de quelque secours pour Bramhall aujourd'hui. Il ne se souvenait pas d'un seul mot du livre de Bramhall, ni de *Ne faites pas ça, Monsieur Drummond*, car toutes les cellules de sa mémoire étaient encombrées de "tandis que".

« Professeur, quand avez-vous vu l'extrait de roman que votre collègue vous a montré?

– Il y a un an et demi, sans doute.

– Et qu'est-il arrivé ensuite à ce roman?

– Il y a eu un incendie chez Bramhall. Le roman a brûlé.

– Le roman a brûlé? Quel dommage. Pourtant, un an et demi plus tard, votre collègue vient ici, dans ce tribunal, prétendre que ce roman, on le lui a *volé*. Alors? Où est la vérité? Brûlé ou volé? » Warwick jeta au jury des regards de côté.

« Eh bien, dit Settlemire, Bramhall a dit qu'il avait brûlé, puis qu'il avait été volé.

– Brûlé *et* volé? » Warwick tourna de nouveau le regard vers le jury. « Son manuscrit a de toute évidence subi un bien triste sort.

– Il l'a réécrit, expliqua Settlemire. Puis on le lui a volé. » Settlemire inclina la tête de côté, d'une étrange manière, un peu comme une babouine épouillant son petit ; un homme qui passait le plus clair de son temps à traquer les "tandis que" aurait dû voir venir l'argument.

« Il l'a réécrit, *puis* on le lui a volé », répéta Warwick sur un ton destiné à suggérer combien cette idée était ridicule, alors que pendant ce temps, l'ours mimait les gestes de son avocat. Ce n'est vraiment pas sorcier, se disait-il. Il faut tourner la tête vers le jury et leur adresser un grand sourire. Il faut battre l'air de la patte, puis l'agiter sous leur nez au cas où ils ne l'auraient pas vue.

Une légère brise rentra par la fenêtre et vint glisser jusqu'à son nez, pleine des senteurs venues de la berge proche, myosotis, forsythia, ciguë aquatique. Il prit une grande inspiration, ferma les yeux et se balança sur sa chaise. Dans le Maine, c'était le printemps, le printemps dans toute sa splendeur. Avec un cri de jubilation, il se laissa tomber de sa chaise et se tortilla, se grattant le dos contre le sol.

« Tenez-vous ! Tenez-vous ! Le marteau du juge Spurr s'écrasa avec fracas sur sa table. Maître, contrôlez cet homme !

– Dan, bon sang ! » Tombant à genoux à côté de son client, Warwick le secoua vigoureusement.

L'ours ouvrit les yeux et releva la lèvre supérieure en grognant. Le juge Spurr donna un deuxième coup de marteau. « Monsieur Warwick, si vous ne parvenez pas à maîtriser votre client, je vais devoir l'accuser d'outrage à magistrat.

– Je crois qu'il est en proie à une sorte d'attaque, votre honneur.

– Il m'a surtout l'air d'un homme qui se gratte le dos. » Warwick s'empara de la carafe d'eau sur sa table et la renversa sur l'ours, qui lâcha un rugissement de colère. Effrayé,

Warwick eut un mouvement de recul et se tourna vers le juge. « Votre honneur, mon client est souffrant.

– Il ne me paraît pas souffrant, monsieur. Il me paraît ivre et porter atteinte à l'ordre public, je ne le tolèrerai pas. »

Les jurés étaient tous penchés en avant sur leur siège et le juge Spurr s'était levé du sien, marteau à la main.

Warwick savait qu'un troisième coup annoncerait une citation pour outrage. Toute la sympathie qu'ils s'étaient attirée de la part du juge et du jury était en train de s'envoler. À cet instant, le chien de Vinal Pinette, enfermé dans le pick-up de son maître garé à l'extérieur, décida qu'il avait passé assez de temps dans le véhicule et se mit à aboyer. Il aimait aboyer aussi fort que possible, juste pour la beauté du geste. Quand son aboiement parvint aux oreilles de l'ours, celui-ci se redressa sur son séant.

« Dan, fit Warwick, tout va bien ? »

Les narines de l'ours frémissaient d'inquiétude. Avaient-ils lancé leurs chiens à sa poursuite ? Quelques autres reniflements le convainquirent que le chien était seul et trop loin pour représenter une menace. Il laissa Warwick l'aider à se rasseoir et, humant l'air, ne bougea plus.

Warwick se tourna vers le banc du juge. « Votre honneur, la famille de Lord of Overlook souffre, depuis plusieurs générations, d'une affection neurologique rare. Cet épisode dont nous venons d'être témoins est caractéristique de la maladie.

– C'est donc de famille ? » Le juge Spurr regrettait déjà de s'être adressé avec une telle rudesse à un Lord du royaume. L'excentricité dans l'aristocratie était quelque chose qu'il fallait tolérer ; l'illustre lignée Overlook devait avoir perdu de son épaisseur sous l'effet de la consanguinité et cette faiblesse dont ils venaient d'être témoins en était le résultat. Le juge Spurr, qui pensait que la famille Overlook lui saurait gré de ses égards, était disposé à se montrer tolérant. « Va-t-il assez bien pour continuer ? Si vous voulez demander une suspension d'audience…

— Nous le voulons, votre honneur.

— L'audience est donc suspendue jusqu'à demain matin », déclara le juge Spurr en se levant de son banc.

D'un signe de tête, Warwick fit comprendre à Magoon qu'il tenait à lui parler en dehors de la salle. Les deux hommes se retirèrent dans un vestiaire et se tinrent côte à côte devant une fenêtre ouverte qui donnait sur la ville. « Je sais que nous allons gagner, fit Warwick, mais pour la santé de mon client, nous sommes prêts à transiger. »

Magoon était assis avec son client dans le *diner* de Main Street. Depuis leur table, on entendait la rivière et les cris de deux balbuzards qui décrivaient des cercles dans le ciel, guettant le scintillement d'un poisson sous la surface. « Cavendish Press nous propose un demi-million de dollars.

– Mais ils conservent les droits ? Je ne serais pas l'auteur ?

– C'est exact, Arthur. En revanche, vous n'auriez plus de problèmes financiers pour le restant de vos jours. »

Arthur Bramhall passa la main sur son front hirsute et torturé. Il entendit le cri perçant du balbuzard et en comprit le sens. Il sentait la présence vivante de la rivière, qui l'appelait à se laisser porter dans son courant.

« Un demi-million, sagement investi… insista Magoon.

– Je ne leur fais pas cadeau de mon livre.

– Ne soyez pas stupide. Nous avons déjà le jury contre nous.

– Je m'en fiche, grogna Bramhall. Je suis l'auteur et nous allons le prouver.

– Je ne suis plus sûr d'y parvenir.

– La réponse est non.

– C'est une terrible erreur. Warwick va vous mettre en pièces à la barre des témoins.

– C'est moi qui le mettrai en pièces », grogna sauvagement Bramhall.

Magoon recula sur son siège, abasourdi par la férocité animale dans les yeux de son client.

Vinal Pinette était assis avec son chien devant le fourneau de sa cuisine. « J'ai pas été à la hauteur », dit le vieil homme en fixant le plancher balafré.

Le chien leva les yeux, espérant voir un bout de saucisse de Francfort arriver jusqu'à sa truffe patiente. Le patron lui en jetait quelques-uns tous les soirs à peu près à cette heure-là.

« Je me suis emmêlé les pinceaux, tu vois. Ce type, l'avocat, a commencé à insinuer des choses et je me suis jeté dans le piège, comme toi sur cette saucisse. » Pinette lui en lança une, que l'animal saisit au vol d'un claquement de mâchoires avant de l'engloutir, comme à son habitude, afin qu'aucun autre chien ne puisse la lui voler, bien qu'il n'y eût aucun autre chien à proximité. Mais en matière de saucisses, cela payait de ne prendre aucun risque.

« J'ai fait passer Art Bramhall pour un filou, voilà ce que j'ai fait. » Le vieil homme baissa encore la tête et la secoua. « Passquc j'ai pas plus de jugeote que cette saucisse. » Il agita l'extrémité du bout de viande devant le chien qui remuait la tête de bas en haut.

« J'aimerais retourner dans ce tribunal et tout leur expliquer comme qu'il faut, mais ils ont tiré de moi tout ce qu'ils avaient besoin. » Quand Pinette jeta la saucisse, le chien tourna prestement la tête de côté, s'en saisit et l'envoya dans son estomac d'une seule bouchée.

« Pus jamais on va pouvoir écrire not' livre maintenant »,

remarqua tristement Pinette. Le chien partit se coucher sur son tapis derrière le fourneau pour se livrer d'un coup de langue à un nettoyage modéré de ses couilles. Il n'accordait pas un grand intérêt à la littérature. *La vie d'une saucisse*, à la rigueur, assortie d'illustrations audacieuses, aurait pu retenir son attention.

Le lendemain, à l'audience, Eaton Magoon apporta la preuve des talents littéraires de son client, depuis son doctorat jusqu'aux nombreux essais qu'il avait publiés au fil des années où il avait exercé en tant que professeur.

Warwick brandit la jaquette de *Désir et Destinée*, assortie de nombreux articles de magazines et de journaux parus sur son client. Il n'avait nul besoin de produire autre chose, mais il ne l'aurait pas pu même s'il avait voulu, car il n'y avait rien d'autre.

L'ours imitait toujours les gestes de son avocat. Il prononçait ses paroles en silence. Il s'était entraîné dans sa chambre, le soir précédent, et avait désormais l'impression d'en maîtriser la logique. Quand Warwick revint s'asseoir à leur table, l'ours désigna la barre des témoins et dit dans un murmure rauque : « Envoyez-moi là-bas.

– Non », répondit Warwick.

L'ours ferma la patte sur le genou de l'avocat, faisant jaillir dans sa jambe une vive douleur. Si bien que celui-ci se leva et dit : « Votre honneur, j'aimerais appeler mon témoin à la barre. »

L'ours prêta serment. Il se plia au rituel avec une grande solennité, la patte droite levée. Il sentait les mots clairs bouillonner et monter en lui, prêts à jaillir en un flot coloré.

Warwick ne s'approcha pas. « Dan Flakes, c'est bien votre nom ?

– Oui.

« – Avez-vous écrit *Désir et destinée* ?

– Oui.

– Pas d'autres questions. »

L'ours considéra Warwick, visiblement blessé. « J'ai des choses à ajouter. » Il fit de grands gestes d'avocat en direction des jurés.

« Vous pouvez me les dire à moi, fit Magoon en s'approchant de la barre. Quel genre de personne êtes-vous, Flakes ?

– Je suis une personne », s'empressa de répondre l'ours, heureux que ce point clé ait été réglé avant tout le reste. S'il était une personne, ils ne pourraient pas l'enfermer dans un zoo.

« J'ai demandé quel genre de personne vous étiez. Quel genre d'individu vole les résultats du labeur d'un autre homme, Monsieur Flakes ? »

L'ours exécuta le petit geste auquel il s'était entraîné, pareil aux gestes que faisait son avocat quand il l'avait observé, sauf que les mots censés l'accompagner refusaient de sortir. Ils tournoyaient en lui comme des poissons aux écailles étincelantes dans un ruisseau mais quand il essayait d'en tirer un hors du flot, celui-ci se tortillait et lui glissait entre les doigts. Il se tourna vers la fenêtre et huma l'air, s'emplissant les narines des senteurs de la campagne.

Magoon n'était plus qu'à quelques centimètres de lui maintenant. « Vous avez volé le livre d'Arthur Bramhall. C'est cela que vous êtes, monsieur. Un voleur, tout simplement. Quel autre terme employer pour vous qualifier ?

– Les champs, fit l'ours.

– Pardon ?

– La rivière, continua-t-il. Les fleurs. » Il tourna la tête vers la fenêtre de la salle d'audience. Son assurance avait disparu telle une bulle de savon. Il pensait à la rivière et à la

forêt de pins qui s'étendait au-delà. Il ne pouvait pas s'exprimer comme un avocat, était incapable d'articuler les sons
clairs et bouillonnants qui faisaient une vraie personne. « Le
printemps, dit-il, au désespoir, les bourgeons. »

C'est ce qu'on ressent à la lecture de *Désir et destinée*, songea une jurée en se penchant vers l'avant pour mieux écouter. Elle avait beaucoup apprécié le livre et cela, se disait-
elle, en était la mélodie. Considérant la personne à la barre
des témoins, elle sut que c'était l'auteur du livre qu'elle avait
adoré.

« C'est votre réponse, monsieur ? demanda Magoon, qui
insistait pour asseoir son avantage. Vous êtes le printemps ?
Vous êtes les bourgeons ?

– Je suis un ours », avoua la bête, découragée.

Oui, songea la jurée, il est la voix du Maine – les ours,
les élans, les oiseaux, les fleurs, les arbres et la forêt au printemps.

« Vous dites que vous êtes un ours ? » demanda Magoon,
narquois.

« C'est un ours, c'est vrai ! » s'exclama Arthur Bramhall en
bondissant sur ses deux pieds. Tout était limpide à présent.
« C'est l'ours qui a volé mon livre ! »

« Mesdames et messieurs les jurés, avez-vous un verdict ?
– Oui, votre honneur. »

Le jury avait tranché : l'ours était l'auteur de *Désir et destinée*. Tous les droits de propriété, présents et passés, demeuraient siens. Ils ne savaient pas qu'il était un ours, alors même qu'il le leur avait dit. Parce qu'ils étaient des êtres humains.

À l'annonce de la décision, Arthur Bramhall émit un son rude et guttural. Les membres du jury y lurent une confirmation supplémentaire de l'exactitude de leur jugement. Un homme capable d'un tel bruit n'aurait jamais pu écrire *Désir et destinée*. Ils le regardèrent gagner lentement la porte d'un pas traînant, son corps se balançant d'une jambe sur l'autre, étriqué dans son costume de supermarché dont la couture dans le dos avait cédé. Il poussa violemment la porte qui alla heurter violemment le mur, et franchit le seuil sous le regard suspicieux du greffier. La femme à fourrure, qui lui envoyait des vibrations positives depuis le début du procès, essayait à présent de l'envelopper de lumière, mais il la repoussa en grognant et poursuivit son chemin. Il descendit l'escalier et traversa le hall pour gagner le parking. À son approche, le chien de Vinal Pinette commença à aboyer en se jetant contre la vitre du pick-up où il était enfermé ; si ce pauvre gars n'est pas un ours, songea le chien, je ne suis pas le meilleur ami de l'homme.

Arthur Bramhall était assis sur la berge du ruisseau. Les événements du tribunal se trouvaient derrière lui maintenant; il n'avait été capable de leur accorder un intérêt que le temps qu'avait duré sa colère. Mais la colère s'était éteinte dès l'instant où il avait mis le pied dans le sous-bois, et les jours passant, il avait retrouvé sa tranquillité d'esprit. La voix de la forêt monopolisait de nouveau toute son attention. Au fil des semaines, son odorat s'affûtait, lui donnant accès à un réseau d'informations auquel il se consacrait avec enthousiasme, cheminant narines à l'affût à travers des strates d'expériences auxquelles l'humanité n'avait pas eu accès depuis une éternité. Les odorants tapis de mousse lui parlaient intimement, tout comme les fleurs, les aiguilles de pin et l'herbe sauvage. Des voiles aromatiques flottaient sur la forêt, créant des chambres innombrables et subtiles, qu'il traversait tel un sultan dans un palais enchanté.

Son énergie croissait. Quand il courait, il le faisait avec grâce, ses pieds touchant le sol avec légèreté, sur un terrain qui lui était déjà devenu familier. Il se nourrissait de poissons, de plantes sauvages et de baies. Il n'avait besoin de rien de la part de personne.

Je ne veux rien d'autre que cela, songea-t-il, assis au bord de l'eau, contemplant les myosotis, les forsythias, la ciguë aquatique. Leur senteur logeait dans ses narines, avec la fraîcheur humide du ruisseau, qui racontait les kilomètres de paysages qu'il avait traversés. Il plongea une main dans l'eau et sourit aux gouttes étincelantes qui s'amoncelaient à la pliure de ses doigts. Il se mit à danser une danse joyeuse, jetant en l'air ses bras puissants et tapant des pieds.

Vinal Pinette le regardait depuis le haut d'une colline. La compagnie de Bramhall lui manquait, mais il savait reconnaître la joie quand il la voyait, et que souhaiter de plus à un ami ?

Le vieux forestier fit demi-tour et pénétra dans le sous-bois pour rentrer chez lui. Tandis qu'il marchait, des larmes brillaient dans ses yeux âgés. On n'entendait que le bruit de ses bottes battant doucement le sol de la forêt.

« Dan, je suis tellement content d'avoir enfin la chance de vous rencontrer », dit le vice-président, sur la pelouse sud de la Maison Blanche.

L'ours le reniflait, franchissant la barrière de l'après-rasage pour accéder à l'odeur essentielle, dont il essayait de se rappeler où il l'avait sentie la dernière fois. J'ai déjà croisé ce mâle dominant quelque part, se disait-il.

Serrant la main de l'ours, le vice-président lui dit : « Je vous dois beaucoup.

– Un coup sur la tête ! s'exclama l'ours, en se souvenant soudain du lobby d'hôtel qu'il avait revendiqué comme étant son territoire.

« Vous lui avez en effet donné un sacré coup sur la tête, commenta le vice-président. Vous êtes un véritable héros américain.

– *Ursus americanus* », acquiesça l'ours.

Le vice-président s'autorisa un bref froncement de sourcils perplexe, mais l'ours n'épilogua pas. Il humait le parfum capiteux des fleurs qui les accueillaient tandis qu'ils pénétraient dans les jardins privés du président. Il y a dans le coin un excellent miel ou je ne m'appelle pas Dan Flakes, se dit-il.

« Le président tient lui aussi à vous rencontrer. Il sera là dans une minute.

– Qui est-ce ? » s'enquit l'ours.

Le vice-président fronça de nouveau les sourcils ; il commençait à comprendre pourquoi, lors du briefing précédant la rencontre, on l'avait prévenu que Dan Flakes était étrange. « Ma femme a lu votre livre. Elle aimerait un autographe.

– Je peux signer mon nom, répondit l'ours. Dan Flakes. Je suis une personne. »

Le vice-président, sourcils toujours froncés par la perplexité, avait calé son pas sur celui de son invité, le temps de la promenade informelle conseillée par son staff. Comme dans son travail Dan Flakes rendait hommage à la nature, l'équipe du vice-président avait décidé de le compter parmi les écologistes. Le jardin présidentiel était dès lors apparu comme le décor approprié pour le remercier. Dan Flakes donnait le sentiment d'être un modéré, mais depuis sa rencontre avec le révérend Norbert Sinkler, on le disait aussi tenté par l'extrême-droite ; et le président ne voulait pas perdre un autre intellectuel influent. Dès lors, aussi singulier que fût en effet Dan Flakes, le vice-président était disposé à se montrer patient et à sonder les profondeurs de cet invité qui pourrait potentiellement leur être utile.

« J'ai cru comprendre que vous étiez originaire du Maine, dit le vice-président. Nous avons âprement lutté pour y préserver la nature sauvage.

– Je préfère les hôtels, répondit l'ours. Ils lavent vos slips. »

Se disant qu'il valait mieux sourire, le vice-président sourit. On allait communiquer des photos à la presse et il ne voulait pas froncer les sourcils en présence de l'homme qui lui avait évité de finir déchiqueté par une explosion dans le lobby du Ritz Carlton. Mais il savait qu'il était loin d'avoir sondé les profondeurs du personnage.

« Vous aimez le room service ? demanda l'ours.

– C'est sympathique, répondit le vice-président, qui s'efforçait de rester léger.

– Il n'y a pas de room service dans les bois, précisa l'ours, accompagnant cette précieuse information d'un hochement de tête empli de sagesse.

– Voilà le président, annonça le vice-président avec soulagement, alors que des agents du Secret Service faisaient leur apparition au coin de l'aile ouest du Palais Présidentiel. Nous allons le rencontrer, puis un déjeuner est prévu en compagnie de plusieurs personnalités du monde des arts. Je suis sûr que vous y verrez des gens de votre connaissance. »

L'ours huma l'air, dans l'espoir de capter les odeurs de cuisine en provenance de la Maison Blanche. « Avez-vous mis une candidature au menu ?

– Content que vous posiez la question. Parce que nous aimerions votre aide. »

Le président s'avança vers eux, la main tendue, tout sourire. « Monsieur Flakes, je suis vraiment fier de faire votre connaissance. »

L'ours remarqua que tous les autres mâles faisaient preuve de déférence à l'égard de celui-ci. Il a dû botter le cul d'un sacré paquet de monde, se dit-il.

Tandis qu'ils marchaient, le président fut le seul à parler. L'ours ne comprenait rien à ce qui se disait, mais ce n'était pas grave. Essayer de comprendre les humains lui causait parfois des ennuis.

Ils pénétrèrent dans le bâtiment par le côté sud, précédés par des agents du Secret Service. « Nous allons déjeuner dans le Salon Vert aujourd'hui.

– Je parie qu'il n'est pas vert », remarqua l'ours sur un ton bien informé.

Le président eut le même froncement de sourcils perplexe que celui qui avait barré le front du vice-président. « Si, il l'est. Les murs sont en soie verte et les rideaux sont assortis. Madame Kennedy s'est occupée elle-même de la nouvelle décoration. »

L'ours ne savait pas qui était Mme Kennedy. Mais il fut heureux d'apprendre qu'elle était assez maligne pour mettre du vert dans le Salon Vert.

« J'espère que vous vous sentirez chez vous, ici, à la Maison Blanche, Dan, dit le président qui se préparait à enchaîner sur d'autres sujets. « L'extrême-droite est mobilisée, Dan. La lutte n'a jamais été aussi dure. J'espère que votre prochain livre nous traitera avec la même loyauté que le précédent.

– Pas de problème.

– Merci, Dan », dit le président en adressant presque imperceptiblement un hochement de tête satisfait au vice-président.

« Je change de slip tous les jours », dit l'ours afin de maintenir la conversation sur un terrain amical, et l'on passa alors prestement le relais à une femme de l'état-major. Il la suivit jusqu'au Salon Vert, où affluaient les invités du monde des arts et des lettres. Eunice Cotton était présente, car ses livres sur les anges connaissaient un franc succès à Washington ; politiquement neutres, les anges apportaient un vernis de piété sans engager personne à Capitol Hill du côté d'un christianisme trop musclé.

« Vous voilà ! » s'écria Eunice en se précipitant vers l'ours. Il y a quelqu'un que je meurs d'envie de vous présenter. C'est un saint. »

Eunice le conduisit à un frêle vieillard, seul dans un coin de la salle. « Il a passé presque trente ans dans une prison cubaine, expliqua Eunice à voix basse. Castro vient de le libérer. Le sénateur Loveman était en train de me raconter toute l'histoire. »

Le vieillard tendit une main tremblante à l'ours et adressa

un vague sourire à Eunice. Son anglais était parfait – il avait étudié à Eaton et avait passé la plus grande part de sa vie à Oxford, où il avait produit une œuvre philosophique absconse – mais il s'exprimait d'une voix faible. Son séjour dans les prisons castristes l'avait brisé ; des rides profondes cernaient ses yeux et sa bouche, et son crâne semblait à l'étroit sous sa peau. « Ravi de vous connaître, dit-il, mais son regard se perdait dans le lointain. Eunice sentait qu'il voyait l'avion angélique qui allait venir l'emporter dans un avenir plus proche. Mais en réalité, il songeait au compagnon avec qui il avait partagé ses dernières années de cellule, un rat auquel il s'était terriblement attaché. Ratty aurait aimé ce banquet, se disait-il. Il y avait tellement à manger.

« Je suis ravie que vous vous rencontriez grâce à moi, déclara Eunice. Mes deux anges vivants. »

Le vieillard écoutait poliment Eunice, mais Ratty occupait ses pensées. Ce cher petit gars se serait tellement amusé à grignoter partout aujourd'hui. J'aurais été obligé de le freiner, sans doute, ou il aurait tellement mangé qu'il aurait explosé.

« Je ne connais pas grand-chose à la philosophie, avoua Eunice, même si bien sûr mes anges célestes, eux, maîtrisent le sujet.

– Comme c'est charmant », fit le vieillard avec un sourire sénile. Il avait apparemment été un philosophe important, tout le monde le disait, mais le philosophe, c'était Ratty désormais. Quel brillant esprit que ce dernier.

« En prison, dit Eunice, il a dû vous arriver de penser que tout le monde avait oublié votre existence. »

Le vieil homme écoutait dans un brouillard argenté. Après ses premières années d'incarcération, la philosophie lui avait fait défaut, et il avait échappé à la sombre réalité en écrivant une fantaisie, furtivement, sur des bouts de papier-toilette. Il s'était concentré sur ça, non un texte traitant de révolution politique, mais d'amour, une histoire romantique à laquelle il avait donné pour décor la Nouvelle-Angleterre, un endroit qu'il n'avait visité qu'une fois, avant de retourner sur son île de naissance aux conditions de vie misérables, où il avait eu des démêlés avec Castro. Parce qu'il n'avait aperçu que très brièvement la Nouvelle-Angleterre, l'endroit brillait d'un éclat particulier dans le roman. Privé de compagnie féminine, il avait créé une héroïne d'une grande beauté et d'une grande sensibilité, qui habitait dans l'imaginaire de son âme et l'aidait à endurer la solitude écrasante et la privation. Malgré tout, il avait fini par succomber aux rigueurs de la vie carcérale, à la maltraitance, aux carences alimentaires, à la fièvre, aux parasites. Le jour où il acheva son roman fut aussi le jour où il entama sa relation avec Ratty. Oh, se disait le vieillard, si Ratty était là aujourd'hui, mon plaisir serait si grand.

« Nous savons que vous n'avez pas eu beaucoup de temps pour vous adapter à la liberté », dit Eunice avec compassion. « Ils vous ont transféré si vite à Washington. Mais le comité du sénateur Loveland espère que votre présence entraînera la libération d'autres prisonniers politiques autour du monde. »

Le vieillard avait l'impression de n'être sorti de prison que la veille, son roman sous le bras. Il l'avait d'ailleurs sous son bras en ce moment même, dans une mallette en cuir élimé. Personne à part lui ne connaissait son existence, et il se souvenait à peine de son contenu – quelque chose sur l'amour – ou bien était-ce sur Ratty? Il espérait que c'était sur Ratty.

Le vieux philosophe parcourut la salle du regard. Tant

d'animation, tant de gens. C'était vraiment trop, il se sentait faible. Il sentit un étrange bouillonnement lui envahir la poitrine… une fontaine jaillissante.

« Oh!… Oh mon Dieu… retenez-le, Dan! Vite, un médecin! »

L'ours porta délicatement le vieillard à travers la foule et l'allongea sur un canapé. Un médecin fut bientôt là, qui lui prit le pouls et secoua la tête.

L'ours recula lentement parmi la foule qui tendait le cou. Une fois hors du Salon Vert, il se hâta vers la sortie. Reconnaissant en lui l'invité du président, les gardes le saluaient sur son passage.

Quand il sortit de la Maison Blanche, il tomba sur l'agent du Secret Service qui se trouvait avec le vice-président à Boston. « Hé! Comment allez-vous? » demanda l'agent avec un grand sourire, en faisant mine d'assommer quelqu'un.

« Bien », répondit l'ours en appelant sa limousine. Le signal fut envoyé à la zone VIP et le véhicule fut avancé. L'ours s'engouffra à l'arrière et là, derrière les vitres teintées, il poussa un soupir de soulagement.

« Oui monsieur, fit le chauffeur. Où allons-nous?
– New York, répondit l'ours.
– New York?
– Vous savez où ça se trouve?
– Pas de problème. »

Alors que la limousine s'engageait sur E Street, l'ours ouvrit la mallette en cuir élimé.

À l'intérieur, sur des carrés de papier fragiles et froissés, rédigé d'une écriture fine tremblotante, signe d'un travail nocturne et clandestin, se trouvait tout ce dont un ours avait besoin pour la suite que tout le monde attendait.

Ouvrant le bar de la limousine, pour lequel il avait communiqué des instructions spéciales, il en sortit un pot de miel qu'il porta à ses lèvres.

Myrtille sauvage. Rien de meilleur.

Il ouvrit un sac de Super Tartes et s'installa confortablement contre le dossier pour le long trajet du retour.

FIN

La traductrice et Dan Flakes doivent une fière
chandelle à Antonio Martin. Alors merci… patate !
Merci aussi à Géraldine Chognard (bien sûr).

L'OURS EST UN ÉCRIVAIN COMME LES AUTRES
de William Kotzwinkle
a été achevé d'imprimer en septembre 2014
sur les presses de la Nouvelle imprimerie Laballery,
à Clamecy.

Éditions Cambourakis
2, rue du Marché-Popincourt
F-75011 Paris
www.cambourakis.com

N° d'impression : 409096
Dépôt légal : octobre 2014.
ISBN : 978-2-36624-110-5
Imprimé en France.